EL CABALLO

UN ESPÍRITU LIBRE

p

Creado y producido para Parragon por Stonecastle Graphics Limited

Fotografía: Bob Langrish
Texto: Nicola Jane Swinney

Traducción del inglés: Eva Vico Paredero para LocTeam, S. L., Barcelona
Redacción y maquetación: LocTeam, S. L., Barcelona

ISBN 1-40545-131-9

Printed in China
Impreso en China

CONTENIDO

EL CABALLO EN IMÁGENES

El caballo ha formado parte de nuestras vidas durante siglos y capturar con mi cámara el vigor, la fuerza y la agilidad de este hermoso animal ha sido mi gran pasión durante los últimos treinta años.

Fotografiar caballos en libertad, en mitad de grandes espacios abiertos, siempre ha supuesto un reto: desde intentar aproximarme a un inquieto grupo de mustangs salvajes arrastrándome por ásperos terrenos con ayuda de manos y rodillas hasta sentarme pacientemente a esperar que un potro recién nacido se apartase de su protectora madre para dejarse ver. No obstante, la clave del éxito reside en comprender la mentalidad del caballo; es decir, en entender su forma de pensar y su poderoso instinto natural de supervivencia.

En numerosas ocasiones he dado con un semental en un pasto y tan solo me ha llevado unos minutos captar la imagen que lograba mostrarlo en todo su esplendor: a un sosegado galope medio o a un galope extendido que ilustraba toda su fuerza y potencia, o bien a un trote elegante en que, en un instante de animación suspendida, casi parecía flotar en el aire sin apenas tocar el suelo con los cascos. El semental sigue una determinada pauta que repite incansablemente hasta que el nerviosismo inicial da paso a la curiosidad. En el preciso momento en que dirige su atención hacia el fotógrafo, es posible capturar su esencia.

A menudo el fotógrafo consigue atraer la atención del animal emitiendo distintos sonidos, como, por ejemplo, el gruñido de un oso. Ante la sorpresa, el caballo se vuelve preguntándose de dónde procede el ruido; es en ese instante cuando probablemente muestre su lado más expresivo.

Siempre es interesante tomar instantáneas de potros y grupos de caballos jóvenes debido a su naturaleza curiosa, la cual puede utilizarse para obtener la imagen perfecta. Si asustas a un grupo de caballos jóvenes, estos huirán a escape, se congregarán y regresarán en manada hacia ti, con las orejas inclinadas hacia delante y los ojos abiertos desmesuradamente, con la intención de examinarte. Los potrillos se ocultan siempre detrás de sus madres pero, si el fotógrafo se sienta armado de calma en medio de un grupo, pronto hará buenos amigos y obtendrá fabulosas imágenes.

Al adentrarse en el territorio de un caballo hay que ser siempre muy consciente de sus reacciones instintivas y respetar su modo de pensar, si no deseamos ahuyentarlo o poner en peligro nuestra seguridad por no ser capaces de entender su lenguaje de signos.

He viajado por todo el mundo fotografiando caballos; he recorrido los cinco continentes inmortalizando con mi cámara desde manadas de caballos rusos en las montañas del Cáucaso hasta los mustangs salvajes de América. A través de mi objetivo he capturado imágenes de más de 190 razas, entre las que se cuentan los caballos miniatura más pequeños así como algunos de los caballos más grandes del mundo, y he tenido el privilegio de poder fotografiar muchos de los equinos más bellos y valiosos del planeta.

Espero que disfrute de las imágenes de este libro y que estas logren transmitirle cuando menos parte de la naturaleza y del espíritu de este extraordinario animal: el caballo.

Bob Langrish

EL CABALLO, UN ESPÍRITU LIBRE

¿Por qué amo a los caballos? Bueno, no podía ser de otro modo; ¿cómo podría alguien no quedar sin habla al contemplar las magníficas ilustraciones de este libro y no caer preso de admiración y adoración?

Resulta difícil imaginar que pueda haber quien no se conmueva ante estas hermosas, generosas e inteligentes criaturas pero, de hecho, mis padres son un claro ejemplo de ello. Nunca lograron entender la absoluta fascinación que se despertó en mí por todo lo que tuviese relación con el mundo equino el día en que descubrí que existían los caballos. Como muchos otros niños, pasé toda mi infancia en un establo limpiando las caballerías, quitando estiércol, montando a caballo o sencillamente oliendo el inconfundible aroma de estos animales. Creo que pasé la mayor parte de mis años de formación inundada por un «miasma equino».

Pero el caballo es mucho más que una mascota o un mero medio de transporte. Infinidad de veces he oído a propietarios de caballos o ponis afirmar que su animal «es muy buena persona». Si nunca se ha tenido un equino, tal afirmación podría parecer algo exagerada, pero quienes sí han sido dueños de uno a buen seguro ratificarán dichas palabras. Para ellos el caballo es una *persona* con un marcado carácter individual.

Dado que el caballo ha sido parte integrante de nuestras vidas durante siglos, nos cuesta recordar que en realidad se trata de un animal salvaje. Olvidamos que hemos modificado radicalmente la vida de nuestros caballos para adecuarla a nuestras necesidades particulares.

Afortunadamente todavía existen manadas de verdaderos caballos salvajes y es un privilegio, así como un gozo, poder verlos en su estado natural; poder contemplar cómo se divierten y juguetean, y cómo alzan sus patas dando muestras de una absoluta y exuberante vitalidad.

Recuerdo que, hace ya muchos años, una noche de abril cayó una intensa nevada y tuvimos que apresurarnos para meter a las yeguas y sus potros en los establos. Eran las cuatro de la madrugada y hacía un frío de mil demonios; estábamos todos algo aturdidos por el sueño y nos pasamos una hora persiguiendo a los potrillos por el campo. Al parecer, creyeron que se trataba de un juego y tan solo nos dejaban acercarnos lo suficiente para poder tocarlos con las bridas antes de volver a escapar corriendo con inagotable energía, haciendo cabriolas y resoplando de manera estridente en mitad del aire helado. Ni más ni menos que caballos comportándose como caballos.

En esta obra no hallará caballos ataviados con arreos ni siendo montados; solo imágenes de este bellísimo animal en su estado más puro: como espíritu libre. Desde el más pequeño potro hasta el más imponente shire, la incomparable gloria del caballo se despliega rayana en la perfección.

Cada cual tiene su favorito, desde luego, y espero que a lo largo de estas páginas logre encontrar el suyo. ¿Se dejará seducir por el descarado encanto de un poni galés o caerá rendido ante la belleza del caballo árabe? ¿Le cautivará la majestuosidad del sensacional caballo andaluz o se dejará impresionar por la suntuosidad del frisón? También es probable que, como me sucede a mí, le resulte imposible decantarse solo por uno. Deseo que disfrute con este libro tanto como yo he disfrutado escribiéndolo y que mis palabras, junto con las espectaculares imágenes que las acompañan, logren transmitirle la esencia del espíritu del caballo.

Nicola Jane Swinney

Capítulo 1

CABALLOS SALVAJES

CABALLOS SALVAJES

Para el verdadero amante de los caballos, darse cuenta de que esta fabulosa criatura, esta media tonelada de huesos y músculos, es en esencia un animal salvaje no hace sino potenciar su lado místico.

Estamos tan acostumbrados a ver caballos domesticados —como los jamelgos de las escuelas de hípica o los dóciles ponis de las ferias de verano— que cuando contemplamos a estos animales en su entorno natural, ya sea en las vastas llanuras americanas, en las zonas semidesérticas del continente australiano o en las comparativamente suaves montañas y páramos de las islas británicas, nos quedamos sin habla. Nos olvidamos de que forman parte de nuestras vidas no solo debido a nuestra coerción sino también a su propia naturaleza.

Ningún otro animal ha vivido tan próximo al ser humano ni ha logrado cautivarle durante tanto tiempo. Desde el comienzo de su domesticación, ha sido nuestro más fiel aliado en el campo de batalla —donde a menudo ha dejado la vida— y principal medio de transporte; hoy es también nuestro compañero en la competición y en el ocio. Su destino siempre ha estado muy ligado al del hombre. Sin embargo, el caballo salvaje sigue poblando nuestro planeta y sería una tragedia que dejara de ser así. Mientras la teoría de la evolución de Darwin permanezca vigente, esta especie continuará progresando y beneficiando al ser humano durante mucho tiempo.

De naturaleza gregaria, los caballos viven en manadas; cualquier propietario de caballos sabe que, cuando se reúne

Arriba: *De constitución robusta y diminuta estatura, el przewalski esconde una naturaleza agresiva con la capacidad de sobrevivir en condiciones muy severas.*

Arriba derecha: *Se cree que el caballo przewalski es la última especie de equinos salvajes auténticos. En el año 2003, se puso en libertad una pequeña manada; durante años, los únicos ejemplares existentes estuvieron en los zoológicos.*

«El przewalski está considerado el último de los caballos o ponis auténticamente salvajes.»

Páginas anteriores: *El przewalski constituye el eslabón entre el* Hyracotherium *y las razas modernas de équidos que hoy conocemos.*

a un grupo, tienden a establecer una jerarquía y, por lo general, permanecen unidos aunque pertenezcan a razas y tipos distintos. De igual modo, los caballos en libertad forman manadas de manera instintiva, las cuales se hallan normalmente integradas por varios grupos familiares de un semental y quizá cinco o seis yeguas con sus crías. Como manada, duermen, juguetean y se alimentan —un caballo salvaje puede pasarse hasta catorce horas al día pastando—, siempre atentos a los posibles peligros.

Si bien durante la época de celo los sementales de los grupos rivalizan por dominar a las hembras reproductoras, la manada suele estar controlada por las yeguas más maduras, que se encargan de mantener a raya los encendidos ánimos de los miembros más jóvenes, sobre todo de los potros. No obstante, mientras los sementales domados se perciben generalmente como más dominantes e imprevisibles que las hembras, las «matriarcas» de las manadas salvajes pueden ser tan o más agresivas que los machos y en absoluto sumisas.

Una combinación de excelentes atributos físicos y sensoriales vela por la seguridad del caballo salvaje: una velocidad y resistencia extraordinarias para escapar de los depredadores, así como una vista y oído magníficos para detectar al instante cualquier peligro. Para sobrevivir en libertad, el caballo depende

del mecanismo de «lucha o huida». Posee una dentadura fuerte y prominente que se revela un arma formidable, especialmente durante las luchas por la supremacía con otros caballos.

A partir de una posición de reposo, el caballo es capaz de alcanzar una velocidad máxima de unos 70 km por hora en tan solo tres o cuatro segundos. Sus grandes ojos, situados a ambos lados de la cabeza, le proporcionan un campo de visión muy amplio y sus orejas móviles, capaces de rotar trazando un ángulo de casi 360°, actúan a modo de radar.

Su forma de vida gregaria les brinda seguridad ya que los depredadores suelen mostrarse desconcertados ante los grupos de animales que huyen al galope. Nuevamente es aplicable la teoría de Darwin: si un depredador logra aislar a un animal de la manada, con toda probabilidad se trate de un ejemplar viejo, débil o enfermo, mientras que los miembros más fuertes y ágiles a buen seguro sobrevivirán y prosperarán. La estructura social de la manada, en la cual se combina la cooperación del grupo con las tareas de vigilancia, garantiza la seguridad de los individuos que la integran. Por otra parte, también les permite alimentarse, juguetear y descansar con relativa seguridad.

Quizá el más famoso de los caballos salvajes sea el caballo przewalski; o, para ser más exactos, el poni przewalski, puesto que esta inusual raza presenta una alzada de entre 1,2 y 1,4 m. Llamado así en honor al explorador y coronel ruso Nikolái Mijáilovich Przewalski, quien en 1879 descubrió una pequeña manada de estos animales al oeste del desierto de Gobi, está considerado el último de los caballos o ponis auténticamente salvajes.

Se trata de una misteriosa criatura primitiva que, de hecho, constituye el eslabón entre los primeros equinos conocidos y las razas modernas. Se diferencia de sus descendientes domésticos en el número de cromosomas: 66 en lugar de 64. A pesar de su diminuto tamaño, puede revelarse fiero y agresivo. De constitución recia, el przewalski ha tenido que adaptarse a las hostiles condiciones de la estepa rusa y las montañas de Mongolia, donde la escasa vegetación y el riguroso clima han ido forjando su enorme resistencia.

Charles Darwin postuló que todos los caballos domésticos descendían de «una raza primitiva única, de color pardo, con más o menos franjas», de la cual el przewalski, con su color marrón rojizo, hocico pálido, marcas oculares, franjas dorsales y «rayas de cebra» en las patas, bien podría dar testimonio.

En 2003 fueron liberados ocho przewalski en Kazajstán, donde la raza había estado extinguida durante unos 60 años.

Arriba: *El mustang salvaje de Estados Unidos de América es un verdadero «crisol», una raza sin un estándar definido o con muy pocos requisitos; pueden presentar cualquier color de capa y todos son resistentes, de cascos duros y complexión robusta.*

Izquierda: *Se cree que el mustang fue introducido en el Nuevo Mundo por los conquistadores españoles en el siglo XVII y que lleva vagando por las planicies norteamericanas cerca de 700 años.*

Despunta el día entre brumas en las vastas llanuras del Oeste americano. De repente, el graznido de un águila que sobrevuela la pradera viene a romper la quietud reinante. Una cabeza emerge de entre una manada de caballos que, hasta el momento, no era sino una sombra. Luego otra cabeza, y después otra, con los ojos bien abiertos y las orejas erguidas; acto seguido, la manada al unísono arranca a galopar, dejando tras de sí tan solo el polvo y el eco de su paso.

Cualquiera que haya visto alguna película del Salvaje Oeste, un rodeo americano o incluso uno de los anuncios de Marlboro reconocerá rápidamente al mustang. Estos pequeños y recios caballos pueblan gran parte de las grandes planicies norteamericanas desde hace ya unos 700 años.

La palabra *mustang* proviene del término español *mesteño*, que significa caballo 'perdido' o 'sin dueño', y se cree que la raza evolucionó a partir de los caballos que los colonos españoles llevaron consigo al continente americano en el siglo XVII. Algunos ejemplares huyeron para luego formar manadas en libertad. Son animales extremadamente tímidos y temerosos de la gente, aunque pueden ser domesticados, como la mayoría de equinos. Son también célebres por su velocidad y agilidad.

Arriba: *El mustang presenta capas de todos los colores: alazán (pelo de color canela; es el más común), y bayo (blanco amarillento); también se dan ejemplares píos (pelo blanco en su fondo con manchas de otro color), palominos (capa dorada con la crin y la cola blancas), negros y tordos (distintas tonalidades de gris).*

Arriba derecha: *Los primeros mustangs fueron caballos españoles que huyeron y formaron manadas asilvestradas.*

Se cree que los caballos llevaban extinguidos más de 10.000 años en el continente americano antes de la llegada de los conquistadores españoles, si bien los fósiles hallados en Estados Unidos demuestran la existencia de antepasados equinos primitivos.

El caballo es uno de los animales con un registro fósil más completo, el cual ha permitido conocer su evolución, desde el primitivo *Eohippus* (el primer preéquido conocido) o el *Hyracotherium* (del tamaño de un zorro) hasta el *Equus* actual. Se sabe que los ejemplares primitivos tenían varios dedos en las patas y que aumentaron de tamaño gradualmente. Se cree que 19 especies habitaban Norteamérica hace 15 millones de años.

Cazados por su carne tanto por el hombre como por otros depredadores, la población de caballos se extinguió en el aislado continente hasta la llegada de los españoles y sus corceles.

Estos primeros ejemplares pertenecían a las razas de caballo andaluz (capítulo 3), sorraia portugués y berberisco norteafricano —aún aparece algún «retroceso» esporádico hacia alguna de estas razas concretas en las manadas salvajes—. Pero en su mayoría, el mustang es un caballo pequeño y rollizo que apenas sobrepasa los 1,4 m de alzada, si bien esta puede oscilar entre los 1,3 y los 1,6 m. Desde su llegada a América, se ha cruzado con otras razas, como el morgan, el frisón y el purasangre inglés.

El crisol de razas en que se han convertido las manadas salvajes conlleva que no exista un estándar de raza exclusivo. Presentan todos los colores de capa, distintas formas y tamaños, pero todos poseen cascos duros, patas resistentes y una complexión robusta. Los colores más comunes son el alazán y el bayo, aunque también los hay píos, palominos y negros.

«El caballo es uno de los animales con un registro fósil más completo, el cual ha permitido conocer su evolución.»

Debido a la falta de cría selectiva, en el siglo XIX la apariencia típica del mustang era poco menos que espantosa: cabeza con forma de ataúd, cuello de oveja, lomo similar al de la cucaracha y corvejones de vaca..., algo lejos del ideal romántico de caballo salvaje.

Pero si bien carece del porte del caballo andaluz o la belleza del árabe, el mustang posee una increíble resistencia y robustez, y es capaz de sobrevivir en los terrenos más inhóspitos, lo cual le valió la salvación. A principios del siglo XX la población de caballos salvajes de Estados Unidos estaba estimada entre uno y dos millones de ejemplares, pero, por culpa de la caza para obtener su carne y de ser sacrificado para proteger los pastos de ganado, a principios de la década de 1970 ya quedaban menos de 20.000 en libertad. La captura y el transporte de caballos salvajes se convirtió en un negocio lucrativo.

Arriba y página anterior: *Las manadas de mustangs americanas se hallan hoy protegidas por la Wild Horse and Burro Act de 1971.*

Arriba derecha: *Siempre vigilante, en el pasado se le han dado al mustang salvaje demasiados motivos para desconfiar de los humanos.*

Derecha y extremo derecha: *Estos potrillos, vigilados por sus protectoras madres, necesitarán toda su resistencia para sobrevivir en condiciones difíciles.*

Los métodos de captura y sacrificio de los animales a menudo eran muy crueles; los caballos eran rodeados por vaqueros que utilizaban camiones y helicópteros y, si alguno resultaba herido, era abandonado hasta que moría. El caballo norteamericano parecía estar condenado a una segunda extinción.

Gracias en gran parte a los esfuerzos de una mujer, Velma Johnston —cariñosamente apodada «Wild Horse Annie»—, que lideró una campaña de información nacional, en 1959 se aprobó una ley que prohibía el uso de avionetas y vehículos motorizados para cazar caballos y burros salvajes en territorios pertenecientes al Gobierno Federal. Con un abrumador apoyo de la opinión pública, a esta ley le siguió otra en 1971, la Wild Free-Roaming Horse and Burro Act, por la cual se declaraba al mustang especie protegida bajo los auspicios del Bureau of Land Management (BLM).

Para cualquier amante de los caballos resulta difícil entender que se sacrificase a estos animales salvajes por su carne. ¿Quién puede imaginar un caballo, sea cual sea, y no fantasear con montarlo para galopar por un prado, o con sentir su brío en el instante en que tensa sus músculos para salvar una valla, una zanja o un arroyo? Los más románticos dirán que el mustang es un animal indómito, pero eso no se ajusta a la realidad. Lejos de poseer el espíritu rebelde con el que a menudo se le retrata, es de hecho bastante dócil y capaz de crear estrechos vínculos con los seres humanos.

Se cree que los indígenas norteamericanos fueron los primeros en domar al mustang y que ello cambió sus vidas. En cuanto dominaron el arte de la monta, contaron con una gran ventaja a la hora de dar caza al gran búfalo, cuya población empezó a mermar a partir de aquel momento.

Arriba: *Hubo una época en que se estimaba que la población de mustangs se hallaba entre uno y dos millones, pero el número de ejemplares en libertad descendió hasta unos 20.000.*

Izquierda y extremo izquierda: *Recio, ágil y sorprendentemente rápido, el mustang se convirtió en un bien muy valioso para los indígenas norteamericanos, así como para los colonos blancos.*

Arriba: *Robusto y de pequeño tamaño, el mustang conserva muchos de los rasgos heredados de su antepasado español.*

Derecha: *Miembros de una pequeña manada beben de un abrevadero mantenido gracias a contribuciones voluntarias.*

Para los nativos norteamericanos, el caballo era símbolo de estatus y nobleza. De incalculable valor para la guerra, se empleaba también como moneda de cambio y con él podía comprarse hasta una esposa; tener un caballo era poseer una riqueza. Cuando el jefe de la tribu fallecía, sus caballos eran sacrificados para que así lo acompañaran «en el más allá».

Sin embargo, el hombre blanco (el vaquero) no tardó en descubrir su valor como medio de transporte. El pequeño y ágil caballo parecía poseer un especial e inherente «sentido para el ganado», gracias al cual era casi capaz de anticipar los movimientos de las reses, lo que le valió el puesto de medio de transporte preferido por los vaqueros.

Hoy en día, el mustang participa en competiciones hípicas del Oeste, en rodeos y se monta por placer. Sigue siendo especie protegida y el Bureau of Land Management aún vela por las manadas salvajes.

«Para los nativos norteamericanos, el caballo era símbolo de estatus y nobleza. De incalculable valor para la guerra, se empleaba también como moneda de cambio y con él podía comprarse hasta una esposa.»

Izquierda: *Si bien rara vez miden más de 1,4 m de alzada, los ponis salvajes muestran algunos rasgos propios de los caballos, lo cual es prueba de su linaje.*

Arriba y abajo derecha: *En las marismas de la isla de Assateague, en la costa este norteamericana, no abunda el alimento, pero los ponis de Assateague y Chincoteague son célebres por sobrevivir con poco.*

«Sumamente inteligente y versátil, el poni de Chincoteague constituye una montura ideal para los niños, quienes adoran su carácter alegre y su colorido pelaje.»

Izquierda: *Una yegua y su potro presentan una capa de color pío típica de los caballos salvajes, aunque los colores sólidos también se dan en ocasiones.*

«Hacia la medianoche, el oleaje se volvió más intenso y apenas se vislumbraba la luna por entre las nubes que surcaban veloces el cielo. La tempestad arreciaba por momentos y las olas empezaron a azotar las cubiertas. El estrépito del agua estrellándose y el bramido del viento casi no dejaban oír los alaridos de terror de los caballos.»

¿Ficción? Bueno, quizá sí. Pero la leyenda del origen de los ponis de la isla de Assateague, en la costa este de Estados Unidos, así como el de los de su vecina Chincoteague (un pintoresco centro de turismo próximo a Virginia), cuenta que los ponis sobrevivieron al naufragio de un galeón español.

Una explicación más prosaica, si bien más verosímil, sería que estos ponis descienden de las manadas que dejaron los primeros colonos, aunque todavía se cree que son de linaje español. En cualquier caso, se piensa que los caballos salvajes han habitado estas islas durante unos 300 años, haciendo de las marismas su forma de vida.

Suelen ser de tamaño pequeño, con una alzada media de 1,2 m, bien que presentan algunos rasgos propios de los caballos. Hasta la década de 1920 no fueron ampliamente conocidos y hoy se hallan bajo la protección del Chincoteague Fire Department, que se encarga de ambas islas.

En la isla deshabitada de Assateague —una isla de tierras bajas, desprotegida de los temporales atlánticos y constituida

en su mayor parte de marismas—, existen dos manadas. El dicho reza que el poni de Chincoteague «es capaz de engordar con tan sólo un bloque de cemento».

Sumamente inteligente y versátil, constituye una montura ideal para los niños, quienes adoran su carácter alegre y su colorido pelaje —la mayoría son píos—. La introducción de sangre árabe ha mejorado la calidad de la raza.

Cada mes de julio, se lleva a los ponis de Assateague hasta Chincoteague, donde son subastados. Aquellos que no consiguen comprador regresan a su isla al día siguiente.

Arriba y derecha: *Se piensa que los caballos salvajes han habitado estas islas durante unos 300 años, haciendo de las marismas su forma de vida.*

«Cuenta la leyenda del origen de los ponis de Assateague y Chincoteague que estos animales sobrevivieron al naufragio de un galeón español.»

Izquierda: *Se dice que este pequeño y robusto caballo debe su talla a la escasa vegetación de que dispone en las islas.*

«Se cree que la palabra brumby *deriva del término aborigen* baroomby, *que significa 'salvaje'.»*

Considerado a menudo icono nacional de Australia, el brumby (el único equino asilvestrado de todo el continente) quizá haya sido el caballo más perseguido de todas las razas salvajes.

Los caballos llegaron a Australia en 1788 con la Primera Flota Británica, en la que viajaban ejemplares de purasangre ingleses y caballos españoles. La travesía por mar fue larga y ardua, y tan solo sobrevivieron los más fuertes (tanto hombres como animales). Posteriormente, se importaron más purasangre ingleses, junto con caballos árabes y ponis. El brumby, de igual modo que el mustang norteamericano, es descendiente de estos primeros ejemplares introducidos.

No obstante, en Australia está considerado una especie nociva, que rivaliza con el ganado para obtener alimento y agua. La falta de cría selectiva se traduce en muchos ejemplares de una calidad pobre; además, hay quien opina que poseen un carácter demasiado difícil para ser empleados como caballos de silla. De hecho, se cree que la palabra *brumby* deriva del término aborigen *baroomby*, que significa 'salvaje'.

Dado que las manadas asilvestradas se adaptaron al territorio y al clima, se reprodujeron con facilidad y se propagaron por las vastas zonas semidesérticas del continente. Eran cazados por su carne o abatidos para preservar los pastos, y los lugares en donde se abastecían de agua fueron vallados. En la actualidad, se calcula que existen entre 300.000 y 600.000 ejemplares. Sin embargo, en verano de 2003 el Ministerio de Medio Ambiente tenía prevista una nueva criba para evitar que los caballos entrasen en el parque nacional de Namadgi de Canberra. Dijeron que debían ser eliminados, si bien ello debía llevarse a cabo lo más «humanamente» posible.

La asociación protectora Brumby Watch ejerció presión para intentar detener la matanza y preservar así los caballos salvajes de las antípodas.

Arriba y derecha: *El brumby está considerado una especie dañina en Australia, rival del ganado en un territorio hostil.*

Arriba: *La gruesa capa blanca del caballo camargués le protege de los rigurosos inviernos y de los desapacibles vientos que castigan la región, una vasta marisma en el delta del Ródano.*

Arriba derecha: *A los ponis salvajes de la Camarga se les llama «caballos blancos del mar» y actualmente solo quedan unas 30 manadas.*

Izquierda: *Pese a no disponer de comida abundante, los caballos camargueses prosperan gracias a la hierba y a las cañas que crecen en la región; siempre hallan qué llevarse a la boca.*

Entre las brumas del alba, moviéndose de manera silenciosa a través de la marisma, su visión gris resulta casi fantasmagórica. Solo un relincho o un chapoteo esporádicos delatan su presencia mientras camina por las aguas poco profundas. Se trata de los caballos salvajes de la Camarga, una vasta zona pantanosa en el delta del Ródano, en el sur de Francia. No abunda el alimento en ese lugar; allí no crece otra cosa que una débil hierba y juncos, y el mistral (el viento frío e intenso del norte) ulula atravesando el delta.

Los inviernos en esta región son crudos pero estas resistentes criaturas, conocidas como «los caballos blancos del mar», prosperan y crían en ella. Los potros nacen negros, marrones o gris oscuro pero aclaran el pelaje con el paso del tiempo; cuanto mayor es el poni, más claro es su color.

Su gruesa capa blanca les ofrece una excelente protección frente a las gélidas temperaturas invernales que soporta la región de la Camarga.

Hoy existen unas 30 manadas, entre las que se cuentan unos 45 sementales y cerca de 400 yeguas. En muchos puntos de la Camarga se conservan los caballos para que mantengan en buenas condiciones las tierras; si las manadas no pastasen, el terreno se llenaría de matorrales y zarzas, y resultaría impenetrable y difícil de cultivar.

Los sementales son poco frecuentes ya que, por lo general, son capturados y castrados para ser utilizados como monturas. Los pocos escogidos que no son capados son aquellos elegidos por los rancheros del delta para perpetuar la raza.

Empezando en abril y durante dos meses al año, el semental escogido se une a una manada, en la que deviene macho dominante. Si dos sementales se encuentran, resulta inevitable que se libre entre ellos una fiera y violenta pelea. El semental se apareará varias veces con una hembra en celo, ante la curiosa mirada del resto de miembros de la caballada.

Generalmente las yeguas crían a partir de los cuatro años de edad y, si no hay contratiempos, lo seguirán haciendo durante los siguientes quince, dando a luz cada primavera. De maduración tardía y poca altura —rara vez supera los 1,4 m de alzada—, el caballo camargués es célebre por su longevidad, puesto que puede llegar a superar los 25 años.

Si bien probablemente se trate de una raza autóctona de la región desde tiempos prehistóricos —guarda un gran parecido con antiguas pinturas rupestres halladas en cavernas—, el caballo camargués no fue reconocido como raza hasta 1968.

Posee una buena estructura ósea y una robusta constitución. Su gruesa capa blanca le otorga una excelente protección frente a los elementos y sus cascos suelen ser firmes y resistentes. Sin embargo, no destaca por su belleza: la cabeza es tosca, el cuello, corto, y su aspecto en general resulta primitivo.

No obstante, su talante activo y diligente es muy apreciado por los ganaderos franceses (los *gardians*), quienes los utilizan para conducir a los fieros toros negros camargueses.

Hoy que unas 7.000 hectáreas de la Camarga han sido declaradas reserva nacional, el caballo blanco del mar goza de un nicho dentro de la industria turística, ya que es parte indisociable de este romántico paisaje.

Derecha: *Los caballos camargueses ayudan a preservar las tierras; si las manadas no pastasen en las marismas, la vegetación crecería en exceso, se tornaría impenetrable y no se podría sembrar la tierra.*

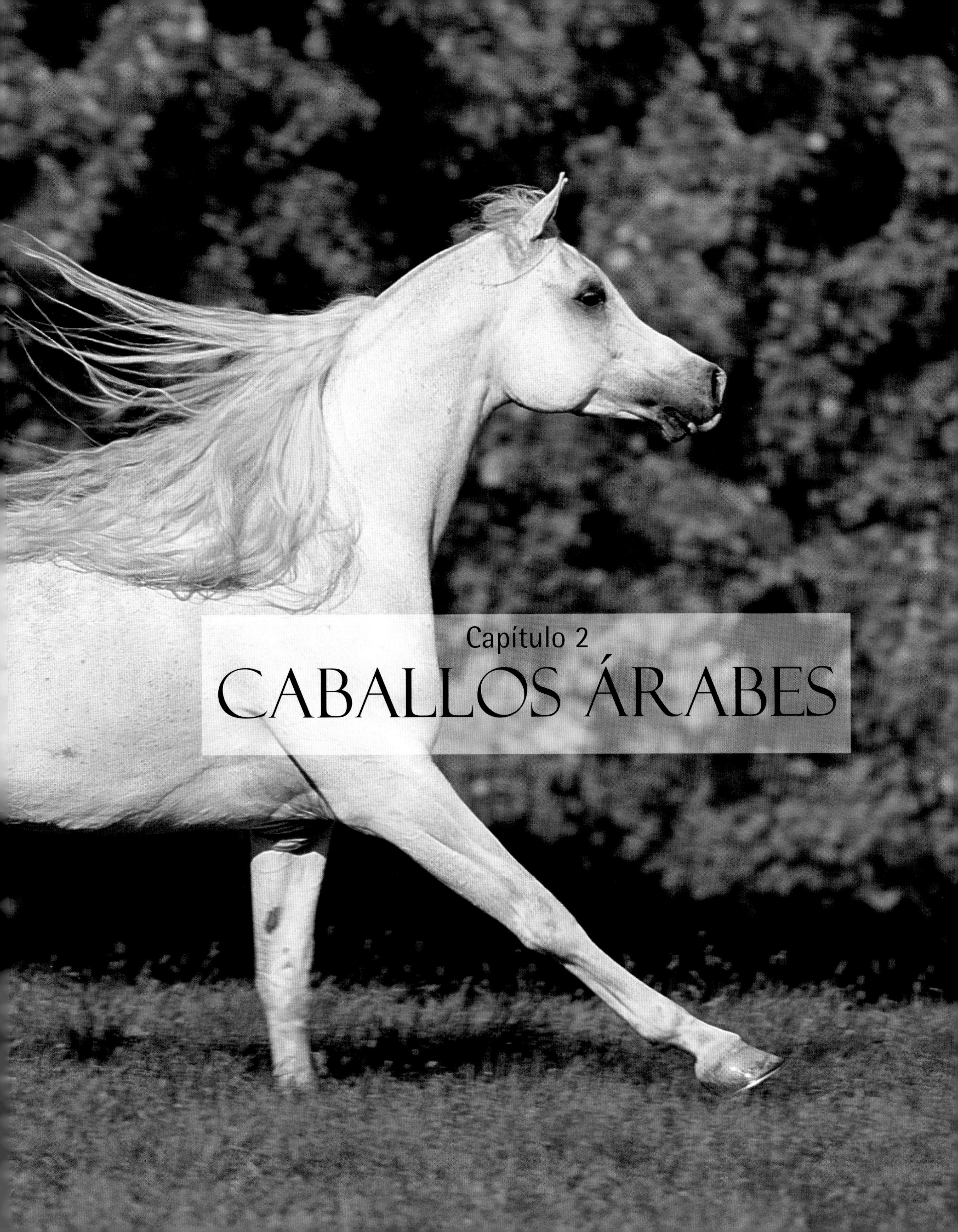

Capítulo 2

CABALLOS ÁRABES

CABALLOS ÁRABES

Si alguna raza encarna verdaderamente el espíritu del caballo, esa es sin duda la raza árabe. Se trata del caballo que todas las niñas suelen dibujar cuando fantasean con cuentos de hadas.

Con sus orejas pequeñas y curvadas, grandes ojos brillantes, perfil cóncavo y crin y cola suntuosas, el caballo árabe resulta a todas luces un animal de ensueño.

El árabe es un equino de una belleza innegable y la más pura de todas las razas, así como probablemente la más antigua. Los árabes lo llaman *keheilan*, que significa 'purasangre hasta la médula'. Jamás su sangre se ha visto mezclada, lo cual le ha permitido preservar sus peculiares y espectaculares rasgos.

Una de las diferencias más destacables entre el árabe y otras razas es su estructura ósea: el resto de razas equinas presenta 18 costillas, 6 vértebras lumbares y 18 vértebras caudales, mientras que el árabe posee 17 costillas, 5 vértebras lumbares y 16 caudales. Otra característica singular es el *mitbah*, que es el ángulo formado por la cabeza y el cuello. La pequeña cabeza del árabe, con su estrecho belfo, está situada en la parte más alta de su esbelto y musculoso cuello. Ello se traduce en una curva arqueada que confiere una increíble movilidad a la cabeza, la cual gira libremente en casi cualquier dirección. Otro rasgo exclusivo de la raza es el *jibbah*, una protuberancia con forma de escudo que se extiende

desde los enormes y separados ojos del árabe por la testuz hasta las orejas, y hacia abajo atravesando parte del hocico.

Su elegante cuello se curva grácilmente por encima de una cruz redondeada y unas espaldas robustas e inclinadas; el lomo corto, con su elevada grupa, presenta una forma marcadamente cóncava. Posee un pecho ancho y profundo que aloja unos pulmones extraordinariamente fuertes, gracias a los cuales es capaz de trabajar de manera infatigable durante largas jornadas y que hacen de él un caballo ideal para la disciplina del *raid* ecuestre. Por otra parte, cuenta con unas piernas firmes y resistentes —aunque a simple vista pueden parecer frágiles, la masa ósea del árabe es más densa que la de otras razas—, y presenta buenos pies, con una forma casi perfecta.

De hecho, el árabe es tan apreciado por su belleza como por su resistencia y velocidad, así como por su complexión atlética. Sus movimientos son tan armoniosos que el animal parece desplazarse flotando con total ligereza, como sustentado por amortiguadores. La crin y la cola —esta última de inserción excepcionalmente elevada— son largas y sedosas, y contribuyen a ensalzar la fabulosa estampa del caballo.

El árabe no es un caballo grande, no supera los 1,5 m de alzada. El color gris le otorga más encanto si cabe, pero existen de todas las capas sólidas, excepto el palomino. Su pelaje es muy fino y sedoso, y presenta un brillo intenso.

Esta hermosa raza se remonta hacia el año 3000 a.C. y ha ejercido gran influencia en muchas razas equinas modernas.

Arriba: *Es sencillo apreciar el* jibbah *(la protuberancia existente entre los separados ojos del caballo) en este típico árabe tordo.*

Arriba izquierda: *Este espectacular semental árabe castaño exhibe una capa fina y sedosa con un brillo casi metálico.*

Páginas anteriores: *Este semental árabe encarna las fantásticas cualidades de esta bella e inigualable raza.*

«Sus movimientos son tan armoniosos que el animal parece desplazarse flotando con total ligereza, como sustentado por amortiguadores.»

Cuentan que cuando Alá creó al caballo le dijo: «Te llamarás Caballo; serás árabe y tendrás el color castaño de la hormiga. Del mechón de crin que cae sobre tu frente he hecho que penda la felicidad; serás el Señor de los demás animales. Los hombres te seguirán adondequiera que vayas; serás tan bueno para trabajar como para volar; a tu lomo viajarán las riquezas y serás portador de fortuna». Entonces Alá imprimió en el caballo la señal de la gloria y la felicidad: una estrella blanca en mitad de la frente.

Al anunciarse que Alá había creado al caballo árabe, el profeta Mahoma creyó que quienes trataran bien al animal serían recompensados en la otra vida. Ese hecho, junto con la creencia de que «ningún espíritu maligno osaría entrar en una tienda donde hubiera un caballo de pura raza», alentó la consiguiente cría del caballo árabe. Transcurrió el tiempo y las tribus beduinas de los desiertos arábigos protegieron y preservaron celosamente la raza árabe, esforzándose por mantenerla *Asil* (o pura), tal como pretendió Alá. Cualquier mezcla de sangre foránea procedente de las montañas o ciudades aledañas estaba terminantemente prohibida.

Las políticas de cría selectiva de los beduinos moldearon el magnífico caballo que hoy conocemos y que, a lo largo de siglos de cuidado y compromiso, continúa siendo muy preciado.

Debido a las arduas condiciones del desierto, el árabe trabajaría codo con codo con sus amos nómadas, con los que compartiría alimento y agua (e incluso a veces cobijo), y como resultado de ello desarrollaría una estrecha afinidad con el hombre y una extraordinaria inteligencia.

El caballo árabe era ante todo un instrumento de guerra muy valorado. Un beduino con una buena montura podía asaltar un asentamiento enemigo y capturar las manadas de camellos, cabras y ovejas de la tribu para engrosar las riquezas de su propia tribu. Dichos asaltos eran extremadamente arriesgados y solo podían realizarse con éxito gracias a la velocidad del ataque, al factor sorpresa y a la rápida huida.

La yegua árabe era considerada mejor para este tipo de incursiones, ya que no alertaba con sus relinchos a los caballos del enemigo, advirtiendo a la tribu del acercamiento de sus atacantes. Estas fabulosas yeguas desplegaban un gran coraje en la lucha, y acometían contra el enemigo sin conceder tregua alguna. La velocidad y la resistencia eran cruciales para estos pillajes, que solían producirse lejos del propio campamento.

Arriba: *Los ojos bien separados y los llamativos ollares son propios de los árabes.*

Arriba izquierda: *Este árabe presenta las orejas pequeñas y curvadas, la cara rectilínea o cóncava, los grandes ojos brillantes y el pequeño belfo que caracterizan a la raza.*

Extremo izquierda: *Este magnífico ejemplar fue criado por la Imperial Egyptian Stud en EE. UU.; los linajes egipcios son muy valorados, tanto en EE. UU. como en Europa.*

Así pues, el valor de la yegua árabe era incalculable. Las yeguadas eran designadas con el nombre de la tribu o jeque que las criaba. Las cinco estirpes básicas de la raza eran: kehilan, seglawi, abeyan, hamdani y hadban. Aunque todas ellas combinan la belleza y la constitución atlética asociadas al árabe, resultan fáciles de identificar por el aficionado.

Los colores más comunes de estas familias principales eran el tordo, el castaño y el marrón o bayo. El negro no era un color de capa muy frecuente dado que absorbe el calor, lo cual resta eficacia a los caballos del desierto. Los criadores procuraron por todos los medios eliminar dicho color de sus preciadas estirpes. Sin embargo, hoy en día la mayoría de equinos árabes ya no viven en los desiertos y los caballos negros están adquiriendo mucha popularidad.

Cada una de estas cinco familias desarrolló unas características específicas que las hacían fácilmente reconocibles. La estirpe kehilan destacaba por la profundidad de pecho y un tamaño y potencia masculinos —su alzada media era de 1,5 m—. La cabeza era notablemente corta y presentaba una testuz y una quijada excepcionalmente anchas.

Arriba: *El estándar de raza árabe permite todos los colores sólidos, excepto el palomino, pero el negro (como el de estas yeguas criadas en California) es aún poco frecuente, si bien está adquiriendo popularidad.*

«Las cinco estirpes básicas de la raza combinan la belleza y la constitución atlética asociadas al árabe.»

Derecha: *Este magnífico semental negro, criado en el Reino Unido, muestra claramente en su frente la legendaria «señal de felicidad y gloria» (una estrella blanca).*

«Las políticas de cría selectiva de los beduinos moldearon el magnífico caballo que hoy conocemos, el cual continúa siendo muy preciado.»

Izquierda: *Dotado de una extraordinaria inteligencia, el árabe permanece atento a lo que sucede a su alrededor.*

Derecha: *Haciendo gala del espíritu asociado a su raza, este majestuoso caballo sabe disfrutar de la vida.*

Abajo: *Rápida y ágil, de movimientos atléticos, esta yegua corta el viento. Qué decir de su hermosa y larga cola.*

El árabe seglawi era un caballo especialmente refinado, con una gracia y elegancia casi femeninas. Poseía una osamenta fina y una alzada de unos 1,4 m; la cara y el cuello eran más largos que los del kehilan. Si bien este pequeño y lustroso caballo carecía de la resistencia de sus parientes de mayor tamaño, era célebre por su velocidad.

Similar al seglawi, la estirpe abeyan era también refinada y los ejemplares de pura raza presentaban lomos más largos que los del típico caballo árabe. El seglawi era generalmente tordo, con más manchas blancas que otras familias.

El caballo hamdani, contrariamente, podía considerarse una estirpe simple —si es que dicho término es aplicable a la raza árabe—; de complexión atlética y huesos más grandes, carecía del pronunciado *jibbah* y poseía un perfil y un cuello más rectos. Su alzada superaba los 1,5 m.

El hadban era una versión más pequeña que no llegaba a los 1,5 m de alzada. Bien que poseía una constitución musculosa y una osamenta mayor, si por algo era conocido era por su naturaleza amistosa y sociable. El color básico era el marrón o bayo, con muy pocas (o ninguna) manchas blancas.

Dentro de cada linaje se desarrollaron subestirpes, que tomaron el nombre de alguna yegua o algún jeque célebres.

Arriba y abajo: *El caballo árabe parece flotar al moverse, como impulsado por resortes invisibles.*

Izquierda: *Aunque ahora presente un color roano, este potro adquirirá la capa torda de su madre. La cola siempre erguida y de inserción elevada es un rasgo característico de la raza árabe.*

Pero todas tenían una cosa en común: fueron criadas en el desierto y evolucionaron para convertirse en la veloz, grácil y poderosa cabalgadura del guerrero árabe. Codiciados por quienes los veían, estos extraordinarios caballos eran poseedores de velocidad y resistencia, e influyeron en la cría caballar mundial.

Resultaría casi imposible sobrestimar la influencia que estos primeros árabes tuvieron en el desarrollo de las razas actuales. En Europa se criaban equinos para llevar a los caballeros y sus armaduras, y los caballos más ligeros debían sus características a las razas de ponis. Poco tenían que ver los caballos europeos con las lustrosas y veloces monturas de los invasores árabes, y pronto se difundieron rumores acerca del caballo «oriental» que enaltecían aún más su garra y rapidez.

La invención de las armas de fuego supuso el fin de los caballeros de pesada armadura, así como de sus caballerías; las milicias clamaban por disponer de caballos más ligeros, rápidos y ágiles. Paulatinamente, el árabe demostró su superioridad en el campo de batalla y devino la montura predilecta de todos los ejércitos. Pero no solo la milicia tenía sus ojos puestos en el caballo árabe. Un equino de tales características dotaba de prestigio a su poseedor, ya que aquella maravillosa criatura serviría para mejorar enormemente las razas locales. El árabe se convirtió en un animal de un valor incalculable y los europeos pudientes —fundamentalmente los miembros de la realeza— eran capaces de mover cielo y tierra para procurarse un ejemplar.

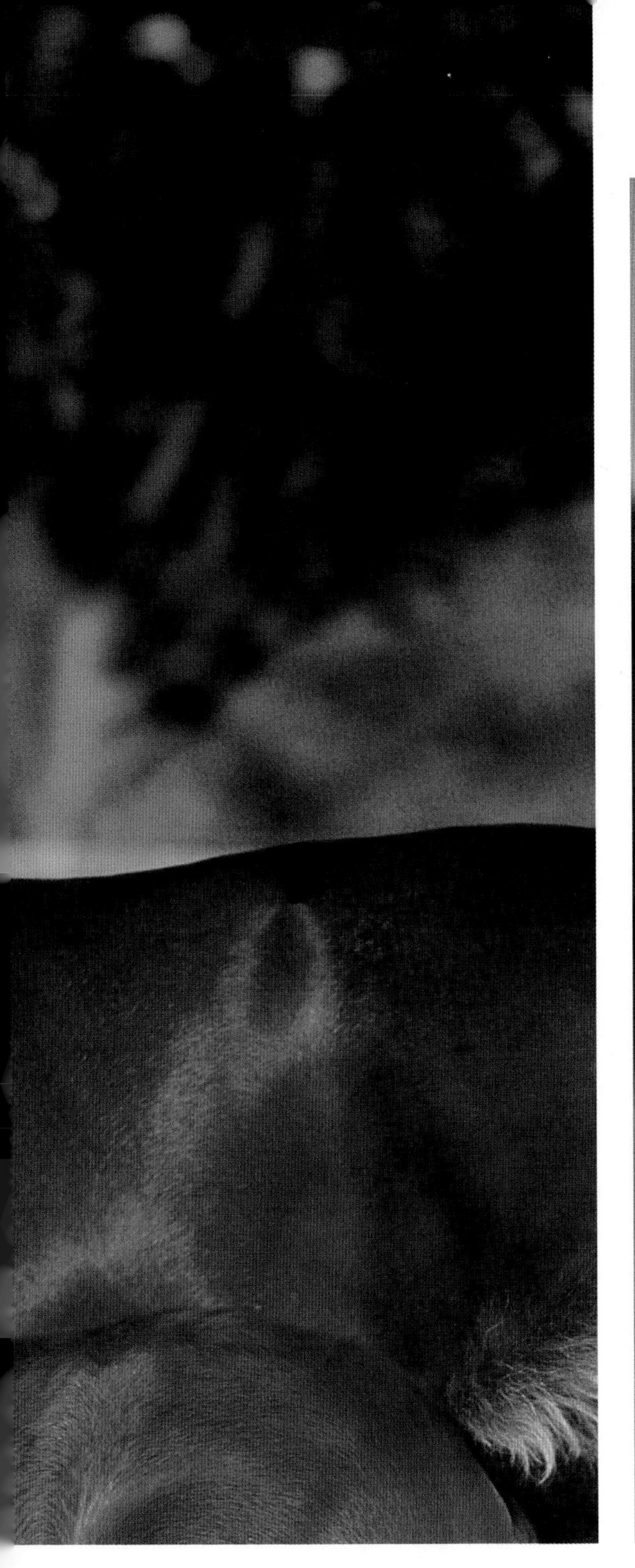

La historia de la cría caballar estaba a punto de vivir una revolución puesto que el árabe —pese a que algunas facciones del mundo del caballo moderno lo miren con desdén— desempeñó un papel primordial en el desarrollo del valioso purasangre inglés.

La raza fue fundada por tres sementales importados: el turco Byerley (importado en 1683) y los árabes Darley (en 1703) y Godolphin (en 1730). El 93% de todos los purasangre ingleses que hoy existen se remonta a una de las líneas de sangre creadas por estos tres ejemplares.

El turco Byerley era propiedad del coronel Robert Byerley, quien se lo habría arrebatado a un soldado turco en Budapest hacia 1680. Cuentan que durante la batalla del Boyne el coronel logró huir gracias a los veloces cascos de su corcel árabe.

Arriba: *«¿Qué estás mirando?» Curioso, vigilante e inteligente, este potrillo se siente seguro junto a su madre, por lo que no demuestra el más mínimo temor.*

Arriba izquierda: *De tal palo tal astilla... Esta yegua y su cría —fotografiados en una cuadra de caballos árabes de California— guardan un enorme parecido; ambos elevan con orgullo la cabeza.*

«El valor de la yegua árabe era incalculable y las yeguadas, o estirpes, eran designadas con el nombre de la tribu o jeque que las criaba.»

Izquierda: *Esta preciosa yegua exhibe los movimientos fluidos de la raza; su encantador potrillo castaño presenta una testuz marcadamente cóncava.*

«El caballo árabe ha desempeñado un importante papel en el desarrollo del muy apreciado purasangre inglés actual.»

Izquierda: *La belleza del árabe no ha sido superada y se convirtió en un animal casi imprescindible para mejorar las razas existentes.*

Derecha: *El árabe posee velocidad, fuerza, resistencia y buena salud, todo lo cual benefició al purasangre inglés.*

Arriba: *Este semental árabe posee todo el fuego y el espíritu que caracterizan a la raza, la cual atesora también un carácter excepcionalmente amigable y cordial.*

Izquierda: *Estas yeguas de unas caballerizas americanas se acercan a ver qué ocurre. Su interés y curiosidad son indicios de la asombrosa inteligencia de que está dotada la raza.*

El turco Byerley fue retirado a la cuadra hacia 1690, y permaneció primero en los establos de Middleridge Grange en el condado de Durham y después en los de Goldsborough en Yorkshire. Se dice que estuvo en las caballerizas durante unos once años, por lo que se deduce que poseía vigor y velocidad.

El árabe Darley —padre del caballo de carreras más grande de todos los tiempos, Flying Childers, al que ningún otro caballo fue capaz de batir en sus 18 carreras— también permaneció en una cuadra del norte de Inglaterra. Fue adquirido por Thomas Darley, cónsul británico de la antigua Siria, y fue descrito como «un caballo de una belleza exquisita». Vivió en los establos del hermano de Darley en Yorkshire. Poco se sabe del tercer semental, el árabe Godolphin, aunque se cree que nació en el Yemen y fue llevado a Inglaterra por Edward Coke de Derbyshire. Edward Coke, un conocido criador de la época, descubrió al semental cuando este contaba cinco años de edad y tiraba de un carro de carbón por las calles de París —si bien este dato podría ser apócrifo—. Posteriormente, Coke vendió el animal a lord Godolphin.

No obstante, la influencia del caballo árabe no acaba con el purasangre inglés. Su sangre enriqueció y realzó otras muchas razas, tales como el poni de las montañas de Gales, cuyo perfil cóncavo y belfo fino recuerdan a antepasados más exóticos; el haflinger austriaco y su homólogo italiano, el avelignese, tienen su origen en el semental árabe El Bedavi, y el trotón de Orlov, un caballo desarrollado en Rusia en el siglo XVIII como caballo de tiro de carruajes, proviene de un cruce con un caballo árabe. El exclusivo color tordo del lipizano se debe a la sangre árabe que posee, mientras que el morgan norteamericano desciende de equinos árabes y purasangre ingleses.

De hecho, el papel desempeñado por el árabe en el desarrollo y el perfeccionamiento de otras razas equinas en todo el mundo no tiene parangón.

Del árabe se ha dicho: «Es el purasangre más antiguo de todos; es la cepa madre, no desciende de ningún otro animal. Posee el don del dominio absoluto de la cría, así como el poder incomparable de imprimir su propia personalidad en cualquier otra raza con una fuerza imparable. El árabe constituye el noble origen del caballo de carreras, de las mejores razas del norte de África y de todos los caballos ligeros».

Hoy en día existen todavía distintos tipos y linajes de árabes. La estirpe más famosa quizá sea la de Crabbet Stud, caballeriza fundada en Gran Bretaña antes de finales del siglo XIX por lady Anne y sir Wilfred Scawen Blunt, quienes compraron caballos a los beduinos del desierto y los importaron

Arriba: *Esta rutilante criatura ilustra los impresionantes rasgos de su raza.*

Derecha: *Una perfecta demostración del «movimiento flotante» con la cola erguida.*

a partir de 1878. Uno de los animales más importantes fue una yegua, Rodania, y los sementales Mahruss II y Mesaoud. Los linajes Crabbet, si bien cada vez son más inusuales, resultan muy preciados y su descripción solo puede ser aplicada a los árabes descendientes de familias propiedad de los Blunt.

El caballo árabe egipcio también es muy valioso. Desciende de las manadas del bajá Mohammed Alí y su nieto el bajá Abbas, así como de 20 caballos de la cuadra Crabbet enviados a los establos Sheikh Obeyd de lady Blunt en Egipto. Posteriormente, el presidente Nasser de Egipto donó un semental, Aswan, a la cuadra de Tersk en Rusia, donde se utilizó en la cría de caballos de carreras y con yeguas de cría polacas. Los árabes polacos son famosos por su belleza y temperamento.

Se cree que el árabe persa, aunque similar a su más conocido homólogo, es unos 1.500 años más antiguo, si bien el número de ejemplares se ha visto drásticamente reducido. Muy parecido en cuanto a características y morfología, es algo más rollizo pero posee una presencia y un porte soberbios.

En Hungría se desarrolló el árabe shagya en el siglo XVIII. La cuadra más antigua del país, Mezöhegyes, fue fundada en 1785, pero los establos Babolna, fundados en 1789, son hoy famosos por sus caballos árabes. El shagya es un caballo versátil, más huesudo que el árabe; predomina en él el color gris, aunque debe su nombre a un semental de color crema fundador de la raza. Se trataba de un semental grande para ser un árabe —su alzada sobrepasaba justo los 1,5 m—, y ello otorgó

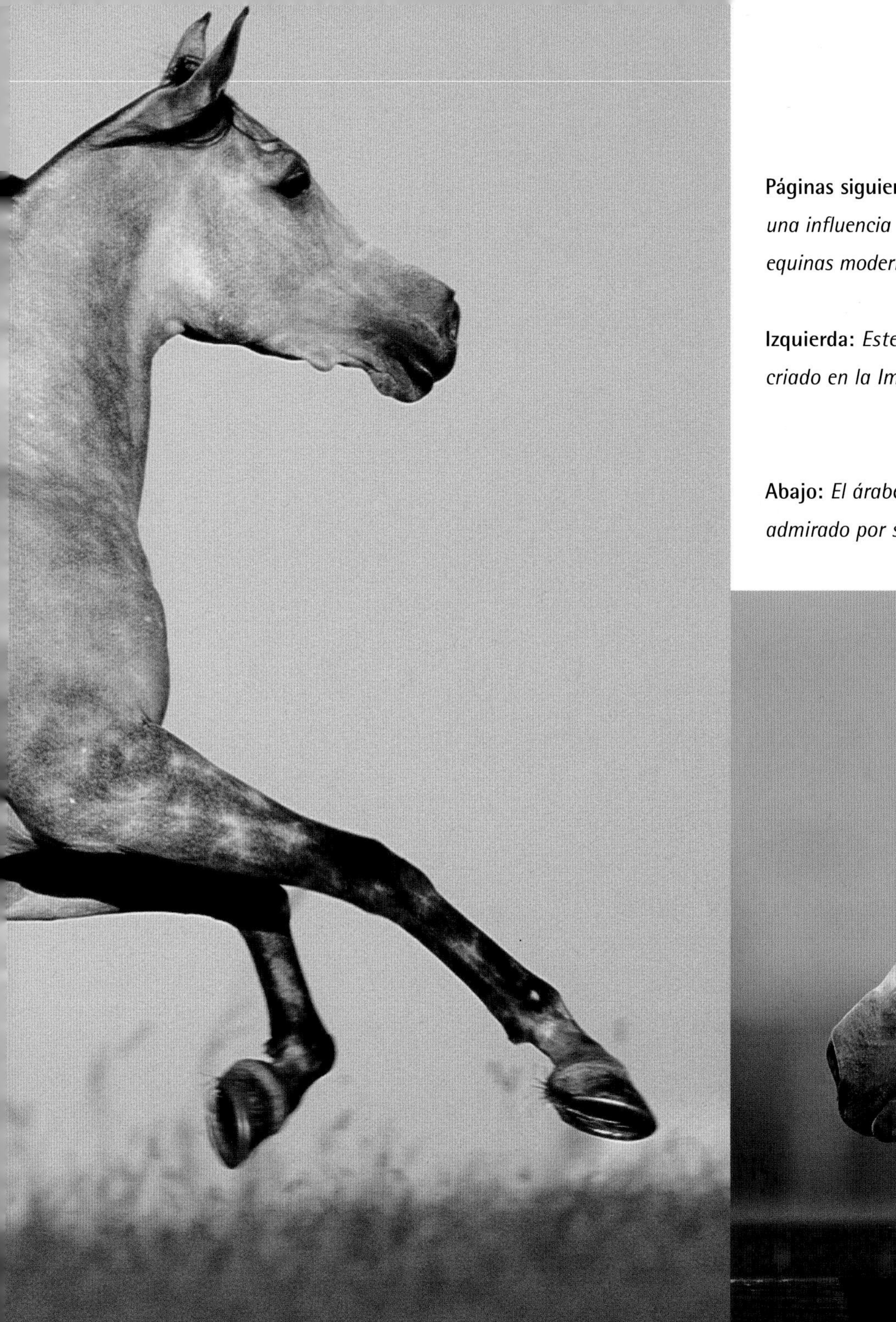

Páginas siguientes: *El caballo árabe ha ejercido una influencia muy importante en las razas equinas modernas de todo el mundo.*

Izquierda: *Este espléndido semental fue criado en la Imperial Egyptian Stud.*

Abajo: *El árabe de pura raza siempre será admirado por su inigualable belleza.*

a la raza su magnífica estampa. En Francia se dio mayor importancia a los caballos de carreras, por lo que los árabes franceses fueron criados para parecerse más al purasangre inglés que sus homólogos ingleses. Australia también ha dado fabulosos árabes, cuyas robustas piernas y fuertes cascos les han permitido sobresalir en el *raid* ecuestre.

Estados Unidos es una nación comparativamente joven en lo que a cultura ecuestre se refiere pero ostenta la distinción de tener la mayor población de árabes de pura raza del mundo. Admirado por su pureza, el caballo árabe se ha ganado un enorme prestigio; una diligente cría mantiene impoluta esa sangre pura y su imperecedera belleza es garantía de que su demanda no decrecerá en el futuro.

«El papel desempeñado por el árabe en el desarrollo y el perfeccionamiento de otras razas equinas en todo el mundo no tiene parangón.»

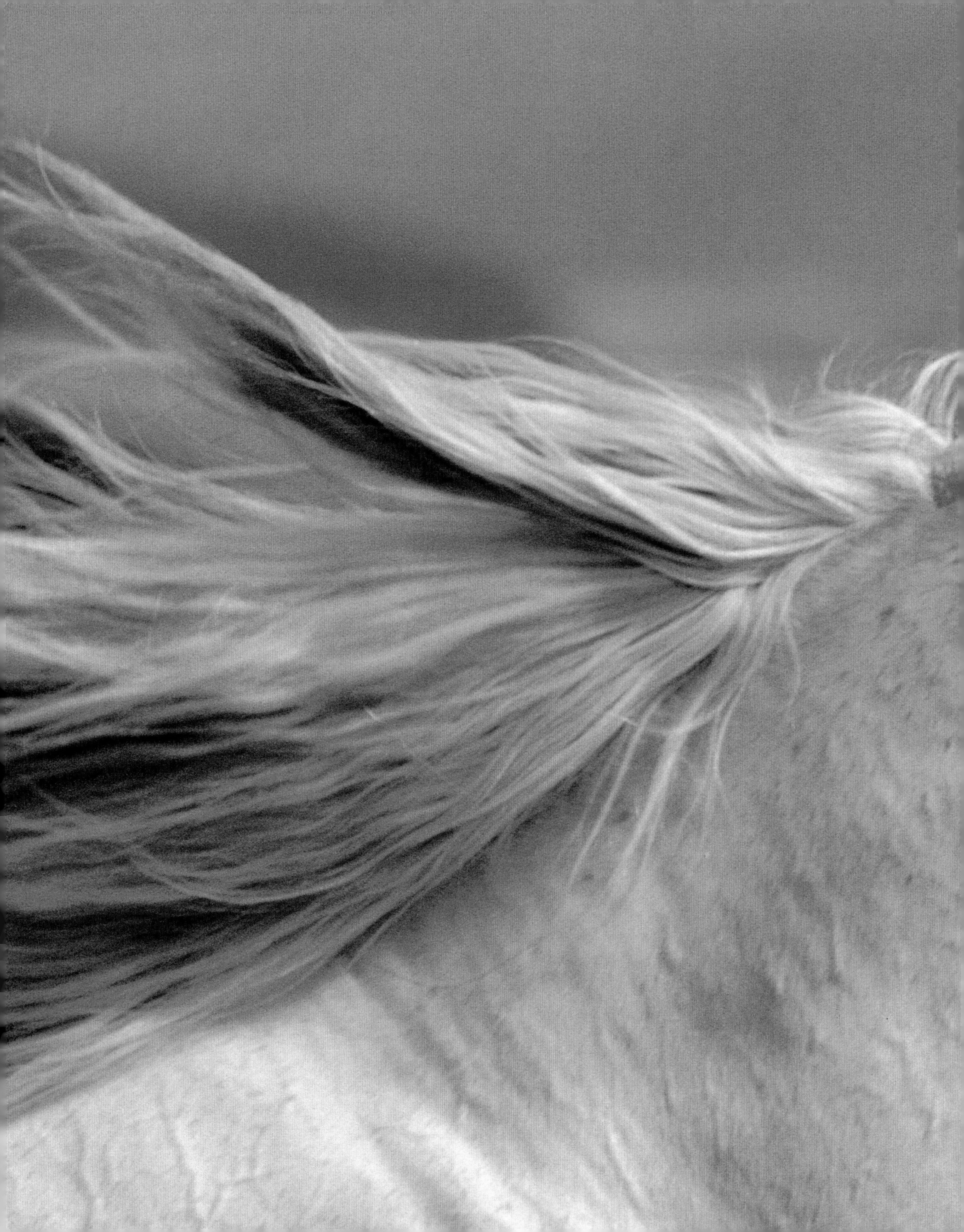

Capítulo 3

CABALLOS IBÉRICOS

CABALLOS IBÉRICOS

Los «nobles reyes» de Iberia, el andaluz y el lusitano, son caballos de una gran belleza, muy preciados por su vistoso paso elevado. En cuanto a su influencia, los caballos españoles solo son superados por el árabe.

Aferrado a la ladera de una montaña, un pueblecito blanco reluce bajo un cielo de cobalto. El sol del atardecer produce destellos en las aguas turquesa de las albercas de los patios mientras un aire de emoción apenas contenida invade el pueblo. Las madres ensartan flores en el pelo de sus hijas y la música flamenca brinca y corvetea por las esquinas.

Los fornidos sementales tordos, cuyos cascos repiquetean sobre los adoquines, sacuden la cabeza y agrupan los cuartos traseros, contagiados del clamor de la muchedumbre. Sus largas crines y colas onduladas están adornadas con cintas de vivos colores y sus arqueados cuellos se hallan engalanados con flores. Se trata de caballos andaluces —también conocidos como españoles o pura raza española— y son tan importantes en las fiestas como el rítmico repiqueteo de las castañuelas o el seductor rasgueo de la guitarra. Estos reyes ibéricos se exhiben con gran orgullo; a sus espaldas queda una larga historia de nobleza, y su influencia en el desarrollo de las razas equinas resulta casi imposible de cuantificar.

En pinturas rupestres halladas en cuevas próximas a la ciudad de Málaga y que datan aproximadamente del 5000 a.C. se puede ver un animal muy parecido al caballo español actual. Por lo que respecta a la evolución equina, el caballo andaluz —y, por asociación, su primo portugués, el lusitano (en la fotografía de la derecha)— desempeña un papel fundamental, siguiendo muy de cerca los pasos del árabe (capítulo 2) y del que se cree que es su ancestro directo: el berberisco. De hecho, existen muchas teorías sobre su origen: se ha dicho que se desarrolló a partir del caballo przewalski (capítulo 1), o que desciende del antiguo caballo de la estepa, el cual habría recorrido la región desde las montañas del Atlas y las sierras españolas hasta Turkmenistán. En lo que la mayoría coincide es en que el origen de estos caballos se remonta por lo menos a la ocupación de la península ibérica por parte de los moros en el siglo VIII, cuando los conquistadores mezclaron los equinos indígenas con sus caballos berberiscos. Andaluz y lusitano no son sino dos nombres distintos para designar a este fabuloso animal, al que también se conoce como cartujano, alter real, peninsular o zapatero. Para evitar confusiones, quizá lo mejor sería referirse a él como pura raza española, andaluz o caballo ibérico.

La raza española fue establecida en el siglo XVI (entre 1567 y 1593) por el rey Felipe II, quien fijó formalmente el estándar de raza que hoy en día está reconocido. El nombre de *andaluz* le viene dado por la soleada región del sur de España, si bien durante siglos el término *Andalus* designó a gran parte de la península ibérica. No obstante, el pura raza español le debe mucho a la Andalucía moderna ya que fue gracias a una orden de monjes cartujos que la raza se ha mantenido pura hasta nuestros días. Fundado en 1476 en Jerez de la Frontera, el monasterio de la Cartuja conservó una pequeña manada de caballos españoles y preservó solamente las estirpes más puras. El clima caluroso y seco de la zona contribuyó a que la raza desarrollase ciertas características especiales, como unos pies fuertes y sanos, y un pelaje fino.

Célebre caballo de batalla desde la época de la antigua Grecia —cuando el famoso general Jenofonte, historiador y filósofo, instauró el arte de la equitación tal y como hoy lo conocemos—, fue valorado por su vistoso paso elevado y su gran agilidad. Bellos y valerosos, estos animales constituyeron la cabalgadura de batalla de los reyes.

El maestro de equitación del rey Enrique IV, Salomon de la Broue (1530-1610), escribió en el siglo XVI: «En mi opinión el auténtico caballo español es el mejor... el más bello, el más noble, el más bravo y el más digno de un rey».

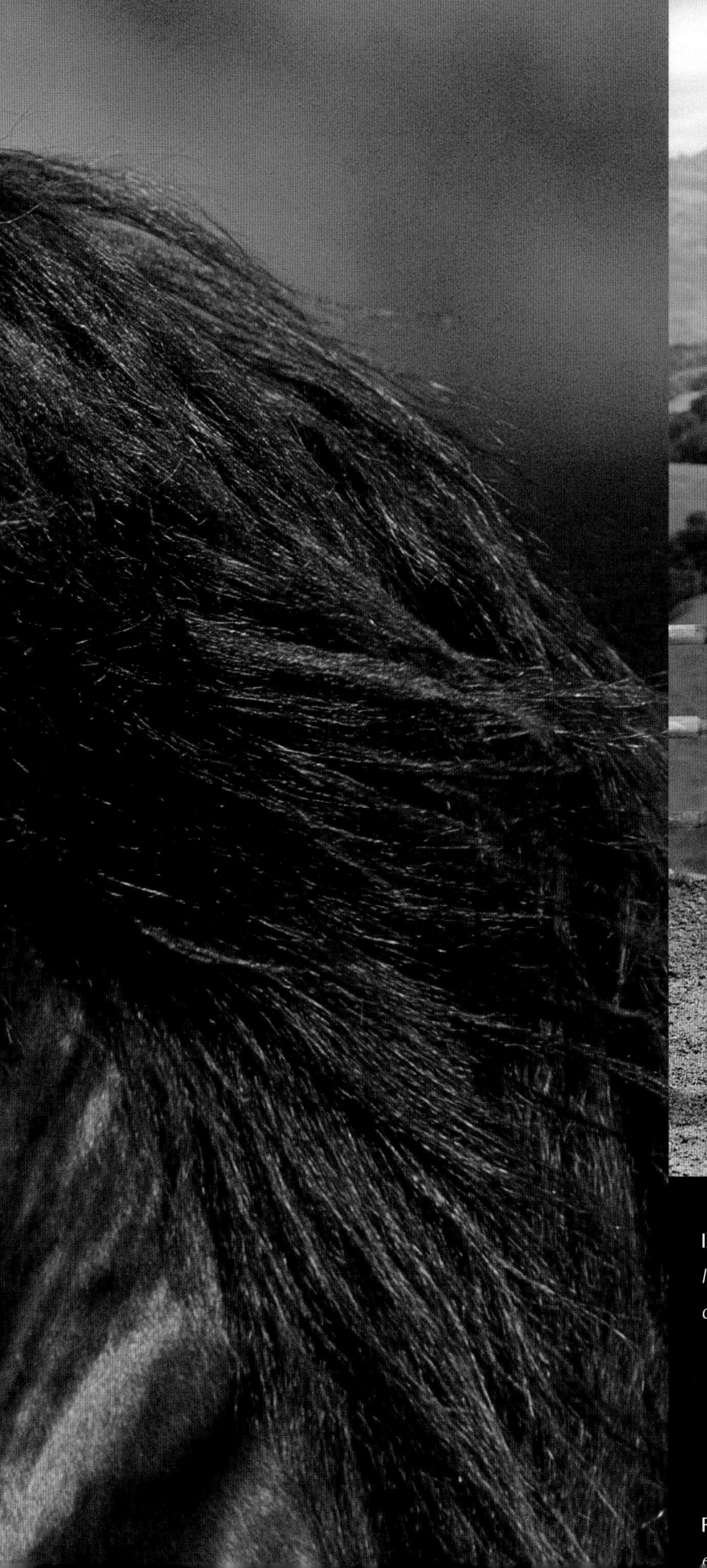

Izquierda y arriba: *Bellos y valerosos, los caballos andaluces eran muy valorados como montura militar.*

Página anterior: *Un preciso semental lusitano exhibe todo el porte noble de la raza.*

Arriba: *Aproximadamente el 80% de los caballos andaluces son tordos.*

Sin embargo, la mera descripción de raza no logra transmitir la belleza y la extraordinaria presencia del caballo español. Los andaluces que se muestran en estas páginas presentan la típica capa torda de la raza, aunque otros colores como el bayo, el ruano y el negro también se dan. Se dice que el 80% de los andaluces actuales son tordos, el 15%, bayos y el 5% restante, negros, si bien se trata de cifras aproximadas.

Su alzada es de unos 1,5 m; es compacto y de línea dorsal corta, con la grupa inclinada y una inserción de cola baja. Es conocido por su inteligencia y su noble perfil es convexo (en lugar de cóncavo como el del árabe) y «acarnerado», con una testuz ancha. Su hermosa cabeza clásica se reconoce al instante. En el fondo de sus grandes ojos ovalados, alojados en un arco orbital triangular, puede leerse su historia, y sus anchos

«En mi opinión el auténtico caballo español es el mejor... el más bello, el más noble, el más bravo y el más digno de un rey.»

ollares delatan la fortaleza requerida por los esfuerzos prolongados. Son notables la forma y destreza de su belfo superior, y su boca es muy sensible y móvil. Posee un cuello fuerte y poblado de una crin abundante que desemboca en unas espaldas largas e inclinadas; su ancho cuerpo se halla equilibrado por unos poderosos cuartos traseros redondeados. La exuberancia de su crin y cola, que a menudo presentan ondulaciones, es espléndida. Sus finas piernas son huesudas y sus movimientos, poco menos que espectaculares. Precisamente ese porte orgulloso fue el que determinó el destino del caballo ibérico y por el cual es célebre.

Al parecer, cuando el rey Felipe II unificó la raza de caballo español, lo hizo con ánimo de materializar al equino idealizado universalmente que durante tanto tiempo había aparecido en la pintura, escultura y arte históricos en general. De entre los caballos básicos que se criaban en España en aquella época, seleccionó los que más se acercaban a dicho ideal y ordenó que solo se empleasen aquellos animales ideales para su programa de cría.

Caballos de indiscutible origen español son todavía visibles en el arte ecuestre y su presencia es notable en la escultura; un claro ejemplo es la estatua ecuestre del rey Carlos I que se alza en la plaza londinense de Trafalgar Square. Largamente codiciado por los ejércitos —pues se decía que el andaluz era tan valeroso y obediente como deleitoso a la vista—, el ágil pura raza español ganó todavía más adeptos al inventarse las armas de fuego en el siglo XV.

Se trata de un equino con un considerable grado de flexión en sus patas traseras, agilidad que sigue siendo muy valorada y ha tenido mucho que ver en la influencia que el pura raza español ha ejercido sobre otras razas.

Además de como caballo militar, el caballo ibérico se desarrolló para trabajar con el toro de lidia español y todavía hoy se utiliza para el rejoneo (toreo a caballo) en las tradicionales plazas de toros españolas. No es un animal dotado para el galope pero resulta increíblemente flexible y raudo de movimientos, y, a pesar de su fogoso aspecto, posee un carácter dócil y amable. Debido a su inherente y constante temperamento perceptivo, resulta de un valor inestimable para los rejoneadores, quienes emplean exclusivamente al caballo español de pura raza. Si bien el toreo se practica fundamentalmente en España, sus espectaculares caballos son muy preciados en todo el mundo. Su paso elevado (conocido como paso de andadura) no les ayuda en el ruedo pero es especialmente adecuado para la alta escuela.

Arriba: *El caballo andaluz posee un cuello fuerte poblado de una crin abundante. La exuberancia tanto de la cola como de las crines es un rasgo típico de la raza.*

Si al caballo de pura raza española le añadimos el lusitano (como esta yegua con su cría de la fotografía superior), la estampa resulta más confusa, si cabe. Comparado con el andaluz que figura en la imagen de la derecha con su cría, el lusitano no parece presentar diferencias apreciables. Su nombre deriva de Lusitania, el antiguo nombre de Portugal, y, aunque no cabe duda de que proviene del pura raza español, ha desarrollado algunos rasgos propios.

Con una alzada máxima de 1,6 m, sus largas extremidades lo hacen más alto que su primo español.

Arriba: *Una yegua lusitana con su cría; su nombre proviene de Lusitania, la antigua denominación de Portugal.*

Derecha: *Una yegua andaluza con su potrillo; son ligeramente más pequeños que sus primos portugueses.*

Páginas anteriores: *Manada de jóvenes lusitanos.*

Al igual que el andaluz, se cree que el origen del lusitano se remonta a un ancestro primitivo, el sorraia, un poni que descendía probablemente del caballo salvaje asiático (capítulo 1) y del tarpán, con el cual guarda un enorme parecido. Sobre el tarpán —nombre que significa literalmente 'caballo salvaje'—, existe una gran confusión: se trata de una raza del este de Europa pero, genéticamente, está considerado más próximo al caballo actual que el caballo salvaje asiático.

El sorraia, así como el garrano de Portugal (razas muy próximas), contribuyeron de manera directa a la evolución del caballo español. Esta raza ibérica primitiva recibió influencias de familias equinas norteafricanas debido a que hace miles y miles de años, antes de la última glaciación, la península ibérica se hallaba unida por una lengua de tierra al «continente negro». El color pardo que en ocasiones presenta el lusitano sea posiblemente un vestigio de su vínculo con el sorraia.

La raza de poni —cuyo nombre, de acuñación reciente, deriva de los ríos Sor y Raia, que discurren a través de España y Portugal— pervive aún hoy en día. Como muchas otras razas, se ha beneficiado del cruce con sangre árabe y en la actualidad es más bien un caballo ibérico miniatura, una versión reducida del andaluz o el lusitano. El sorraia actual no suele sobrepasar los 1,3 m de alzada y posee una cabeza grande con el típico perfil convexo primitivo. Es un poni increíblemente robusto y resistente, capaz de soportar temperaturas extremas y de sobrevivir aun con escasez de forraje.

Podría argüirse que el lusitano —cuyo nombre también es relativamente nuevo, puesto que se emplea solo desde 1966— es si cabe más «puro» que el andaluz, cuya cabeza de corte más oriental delata la sangre árabe que corre por sus venas. Ello no significa que el lusitano, con sus ojos grandes y amables y sus orejas curvadas y finas, no sea un caballo tan hermoso como su primo español. Su pronunciada testuz y su ancha frente se asientan sobre un cuello corto y grueso, que a su vez descansa sobre unas espaldas poderosas bastante elevadas. Posee un pecho amplio, un lomo corto y compacto, unos cuartos fornidos y unas patas largas y fuertes. Por último, y típico rasgo del pura raza español, exhibe una crin y cola igual de abundantes y onduladas que las del andaluz.

Arriba derecha: *Una manada de yeguas lusitanas se muestra relajada en mitad de un prado.*

Derecha: *Feliz manada de rollizos lusitanos, con aspecto de ponis, cubiertos por sus peludos abrigos de invierno.*

Puede que el lusitano no goce de la presencia natural del andaluz pero posee la misma complexión atlética y por ello era igualmente apreciado como caballo de batalla y en el rejoneo. Lo que sin duda no le falta es velocidad y en los ruedos portugueses hace gala de sus movimientos elevados y atléticos innatos.

El toreo portugués se basa enteramente en el rejoneo, por lo que los caballos deben estar bien instruidos para saber virar con rapidez. Se considera una gran deshonra para los rejoneadores que un caballo resulte herido durante la corrida.

Hace falta mucho valor para enfrentarse a un toro furioso a punto de embestir y, como bien sabe cualquier jinete, un caballo cobarde es un caballo peligroso. El lusitano es célebre por su inteligencia, coraje y diligencia, rasgos que hacen de él un caballo ideal para la alta escuela.

Como se observa en los tres lusitanos de la fotografía superior, también como en el caso del andaluz, predomina en estos caballos la capa torda, aunque se dan asimismo los colores negro, bayo y castaño. Rara vez se ven ejemplares pardos, los cuales presentan una llamativa sombra morada.

Se cree que el lusitano se desarrolló a partir del andaluz pero con más sangre árabe, aunque no refuerza esta teoría ni la inserción de la cola, que es bastante más baja que la del andaluz, ni la grupa, que suele ser más inclinada. Como se observa en la fotografía superior, en el lusitano la convexidad de la cabeza es más pronunciada.

Arriba: *Unos potros lusitanos muestran la amplia gama de colores de capa que puede presentar la raza.*

Arriba izquierda: *El lusitano acostumbra a ser más recio que el caballo andaluz.*

Tanto el lusitano como el andaluz están adquiriendo gran popularidad en Estados Unidos, adonde el caballo español habría llegado por primera vez en las bodegas de carga de los barcos de los conquistadores, durante el segundo viaje de Cristóbal Colón a las Américas.

La raza hizo su segunda aparición oficial en EE. UU. mucho más tarde, en la década de 1960, y, pese a que el proceso de importación fue lento y costoso, el caballo español recibió allí una excelente acogida, pues se admira profundamente su belleza. Su elasticidad lo hace muy adaptable y se emplea como caballo de silla para hacer excursiones por el Oeste, así como en disciplinas olímpicas, tales como la doma clásica —en la que sobresale— y en los saltos de obstáculos.

«El perfecto vínculo entre el hombre y el caballo ibérico quizá inspirase la leyenda de los centauros.»

Derecha: *El andaluz tiene fama de ser tan valeroso y sumiso como hermoso resulta a la vista.*

Derecha: *Estos andaluces exhiben el paso elástico y exuberante que ha hecho famosa a la raza.*

«*Caballo de imponente presencia, constituyó la montura predilecta de la caballería.*»

Abajo: *Este impresionante semental andaluz es un exquisito ejemplo de su raza.*

Es fácil deducir por qué el caballo andaluz goza de tanta aceptación; los equinos que figuran en estas páginas (todos de Texas, EE. UU.) muestran elegantemente los pasos enérgicos y elásticos que han hecho famosa a la raza. Caballo vigoroso de imponente presencia, constituyó la montura predilecta de la caballería antes de que su fuerza y valor se revelasen inestimables en los ruedos y en las granjas en que se crían los toros de lidia. El andaluz también se emplea en otra disciplina fundamentalmente española denominada *doma vaquera*, una exhibición formalizada de los trabajos que se realizan con el ganado, en que se muestran las técnicas para dirigir y controlar la montura en combinación con elementos de adiestramiento o doma clásica.

Sin embargo, el caballo español casi acabó siendo víctima de su propio éxito. Se consideraba una «montura de especialistas» y, dado que en el siglo XIX la monta devino deporte popular en detrimento de la disciplina académica, la equitación clásica entró en decadencia. Y con ella, el andaluz, que se convirtió casi en un caballo folclórico. En su libro *Cavalo Lusitano o Filho do Vento*, Arsénio Raposo Cordeiro escribió: «El perfecto vínculo entre el hombre y el caballo ibérico quizá inspirase la leyenda de los centauros, una criatura híbrida, mitad hombre mitad caballo, que se creía poblaba los valles del río Tajo».

Pronto, solo las grandes familias tradicionales siguieron preservando el caballo andaluz. Pero entre esas familias se hallaba la dinastía Domecq —uno de los mayores productores de vino de jerez de la región—, la cual poseía más de 15.000 ha de tierra en la zona. Y en 1972, don Álvaro Domecq, el primer rejoneador de España, fundó la Real Escuela Andaluza del Arte Ecuestre, hoy mundialmente conocida. Ubicada en el corazón de Jerez, la Real Escuela tiene capacidad para 1.600 espectadores que cada semana se congregan para asistir al famoso espectáculo ecuestre *Cómo bailan los caballos andaluces*.

La academia es célebre por su excelencia ecuestre y en ella se entrenan los jinetes de más alto nivel, muchos de los cuales destacan en la doma clásica, como Rafael Soto, que fue séptimo en las olimpiadas de Atlanta en 1996, e Ignacio Rambla. Muchos de sus caballos han ganado medallas, como en los Juegos Ecuestres Mundiales de 2002 celebrados en Jerez.

Arriba: *El paso enérgico del caballo de pura raza española lo hace ideal para ejecutar los aires de la alta escuela.*

«La fuerza y agilidad del caballo español, así como su nobleza y elegancia, su vigor y belleza, lo convierten en un perfecto "bailarín".»

Izquierda: *Bella cabeza clásica de lusitano.*

Portugal posee asimismo su propia escuela de arte ecuestre, en la cual se emplean fundamentalmente caballos alter real, un clásico equino de la alta escuela cuya sangre se ha visto mezclada con la del andaluz. La fuerza y agilidad del caballo español, así como su nobleza y elegancia, su vigor y belleza, lo convierten en un perfecto «bailarín» y su influencia alcanza los más insignes *ballets* ecuestres, como los danzarines sementales blancos de Viena.

Los lipizanos (capítulo 4), que se utilizan exclusivamente en la famosa Escuela Española de Equitación de Viena, descienden directamente del caballo andaluz. Los caballos españoles llevados a Lipica (o Lipizza) en 1583 fundaron la raza del lipizano y el nombre de la escuela aún rinde tributo a sus raíces españolas. La versatilidad y carácter sumiso del español contribuyeron a la habilidad que demuestra el lipizano para la danza, auténtica destreza de la que dará fe quienquiera que haya tenido el privilegio de visitar la Escuela Española de Equitación de Viena.

Izquierda y extremo izquierda: *Las suntuosas crines y cola del andaluz acostumbran a ser onduladas.*

«Los caballos españoles se convertirían en la raza fundadora de muchas y variadas razas equinas actuales.»

Abajo: *El andaluz posee una clásica y hermosa cabeza reconocible al instante.*

Arriba: *El porte orgulloso y casi aristocrático del caballo andaluz es un rasgo muy marcado de la raza.*

Izquierda: *Este andaluz luce la exuberante crin ondulada tan típica de la raza.*

Derecha: *Este magnífico andaluz bayo es un ejemplar de Texas, Estados Unidos, adonde el caballo español llegó de la mano de los conquistadores.*

Con una historia tan dilatada a sus espaldas, no es de extrañar que el caballo ibérico exhiba un porte tan aristocrático —elegantemente reflejado en este espléndido semental de lusitano (abajo), que lleva su orgullosa herencia tatuada por toda la piel—. Él y su pariente español (derecha) han desempeñado entre los dos un muy valioso papel en la evolución de las razas de caballos y ponis mundiales.

Durante los siglos XVI y XVII, Cristóbal Colón y los conquistadores llevaron consigo caballos andaluces al Nuevo Mundo, donde estos animales llevaban miles de años extinguidos. Los ejemplares españoles se convertirían en los fundadores de las muchas y variadas razas equinas que hoy prosperan en Norteamérica, tales como el mustang, el criollo, el paso fino o el inconfundible y moteado appaloosa.

Derecha: *Los andaluces, como este semental, han desempeñado un valioso papel en la evolución de las razas de caballos y ponis mundiales.*

Abajo: *Este semental lusitano luce toda la hermosura y porte noble de la raza.*

Se cree que el cuarto de milla americano, un pequeño caballo compacto y veloz, también desciende de equinos españoles cruzados con sementales llevados a América por los colonos ingleses. Destaca por su agilidad, heredada quizá de sus ancestros españoles, y se utiliza para trabajar con ganado y como caballo de silla en el Oeste. Los célebres ponis británicos nativos, como el connemara irlandés, el cob galés y el bayo de Cleveland, también deben mucho a sus antecesores españoles.

Podría decirse que el frisón, caballo originario de la provincia de Frisia, en el norte de los Países Bajos, es casi la versión «en negativo» del caballo ibérico; a saber, posee su cabeza noble, cuerpo robusto y compacto, cuartos traseros inclinados y patas resistentes, y su crin y cola largas y onduladas, pero el frisón es siempre negro. De caballos españoles desciende también el kladruber, raza nacida en 1572 cuando el emperador Maximiliano II fundó unas caballerizas en Kladruby, en la región de Bohemia. Este magnífico caballo es un andaluz pero a mucha mayor escala; su capa es torda y solía medir unos 1,8 m de alzada, si bien desde entonces su tamaño se ha visto reducido y se ha vuelto más activo.

El poco conocido frederiksborg —llamado así por el rey Frederik II de Dinamarca, quien fundó la Royal Frederiksborg Stud en 1562— y su llamativo y moteado primo, el knabstrup, también poseen sangre española. El frederiksborg fue caballo militar del ejército danés pero también se empleaba en las escuelas de equitación, en los desfiles y en ceremonias de la corte. Era un animal elegante y fogoso, de capa castaña y de movimientos elevados y vistosos. Con todo, tenía un temperamento tranquilo y dócil, como sus ancestros españoles. El knabstrup data de las guerras napoleónicas, durante las cuales hubo tropas españolas destacadas en Dinamarca con caballos moteados, frecuentes en las primeras castas equinas españolas.

Estas antiguas razas ibéricas atesoran tal historia y linaje que ya aparecían en numerosas obras clásicas. Homero se refería a ellas en la *Ilíada* hacia el 1100 a.C. y Jenofonte solo dispensaba palabras de elogio para «los portentosos caballos y jinetes ibéricos».

Durante más de veinte años un caballo llamado Babieca fue la cabalgadura del «héroe nacional» de España: Rodrigo Díaz de Vivar, el Cid Campeador. Babieca murió a los 40 años y fue enterrado en el monasterio de San Pedro de Cardeña, donde se levanta un monumento conmemorativo en su honor.

Estos orgullosos caballos no abundan; se calcula que tan solo quedan unas 5.000 yeguas lusitanas reproductoras en todo el mundo y que en España no hay más de 12.500 caballos andaluces en la actualidad. Sin embargo, su belleza y presencia garantizan que estas admiradas razas sean cuidadas y preservadas celosamente durante largos años.

Arriba: *La belleza y presencia del caballo ibérico resulta innegable.*

Derecha: *Muchas de las razas de caballos y ponis más populares del mundo deben algunos de sus rasgos a los caballos españoles que las fundaron.*

Capítulo 4

CABALLOS EUROPEOS

CABALLOS EUROPEOS

La desaparición del caballo de guerra y el auge del de competición o recreo ha propiciado el refinamiento de los caballos europeos, que dominan hoy las disciplinas olímpicas.

En casi todas las razas equinas europeas, es probable hallar por lo menos algún vestigio de sangre árabe (capítulo 2). El mejor ejemplo de ello es sin duda el purasangre inglés, el cual, admirado en todo el mundo por sus raudos cascos, su brío y belleza, es descendiente directo del caballo árabe.

Sus 500 kg de huesos y músculos conforman una veloz máquina de carreras, capaz de correr a más de 72 km por hora y de salvar distancias de hasta 9 m de un solo salto. Ha nacido para correr como el viento y hará uso de todas sus fuerzas para ser él quien atraviese la línea de llegada en primera posición. Pero no se vanagloria de su extraordinario ímpetu; su anhelo y determinación de ser el primero le son innatos y constituyen una reminiscencia de su pasada vida en libertad y de su instinto de «lucha o huida». El primero es siempre el más fuerte, el más poderoso, el mejor. El primero es superior.

De todas las razas mundiales, el purasangre inglés es la más rápida y valiosa, y sus espaldas sostienen una industria multimillonaria ligada a la competición y a la crianza equina. En las carreras de caballos de Gran Bretaña, Estados Unidos, Japón, Australia, Nueva Zelanda y Francia resuena el eco del

Páginas anteriores, abajo y derecha: *El purasangre inglés puede presentar cualquier color sólido con manchas blancas, excepto el palomino, si bien los más comunes son el marrón, el castaño y el bayo. Los tordos deben su color a sus antepasados árabes.*

«El 93% de todos los purasangre actuales tienen su origen en uno de los tres sementales fundadores.»

fragor producido por sus cascos y reverberan desde hace siglos los nombres de excepcionales équidos que han hecho historia. Gran Bretaña cuenta con una larga tradición de carreras de caballos y ya existían varias competiciones antes de que el rey Jaime I fundase el hipódromo de Newmarket en el siglo XVII.

Cuentan que Ricardo Corazón de León concibió la primera carrera en Epsom Moor. La raza nativa de caballos de carreras fue creada posiblemente cruzando sangre española, napolitana y berberisca con el hobby irlandés (un antecesor del poni connemara) y el galloway escocés, así como con otras razas autóctonas. No obstante, a lo largo de la historia el hombre siempre ha aspirado a ser más rápido y fuerte, por lo que la monarquía y la nobleza que participaba en las carreras anhelaba hallar una raza diseñada especialmente para la velocidad.

Pero los primeros caballos de carreras carecían de un elemento crucial: sangre árabe. Con la introducción de los tres sementales fundadores (el turco Byerley y los árabes Darley y Telhe Godolphin) a finales del siglo XVIII, nacía el purasangre inglés. De hecho, su nombre es una traducción literal de la palabra *kehilan*, que significa 'pura raza'.

El árabe Darley engendró a Flying Childers, quien a su vez tuvo una descendencia de fabulosos ejemplares. Un hermano de Flying fue el tatarabuelo de Eclipse, el caballo de carreras más famoso de todos los tiempos, que resultó invicto en las 18 carreras que disputó y engendró a unos 300 campeones más. En América se fundó una nueva estirpe y en 1873 se publicó por vez primera el American Stud Book.

Gracias a estos tres sementales fundadores se forjó el fantástico rey de la velocidad que hoy conocemos —aproximadamente el 93% de todos los purasangre actuales tienen su origen en uno de ellos—. Flying Childers, Herod, Eclipse, Diomed —el cual ganó el primer Derby de 1780— y Matchem, y, más tarde, Mill Reef, Arkle y Sadler's Wells, garantizaron que Inglaterra tuviera los caballos más excelsos del mundo. Las nuevas tres líneas de sangre aportaron belleza y exquisitez al purasangre moderno, así como un rasgo perdurable: el valor.

El caballo de carreras actual es un animal de una gran belleza y presencia, cualidades heredadas de sus ancestros árabes. Con una alzada media de 1,6 m, posee una cabeza fina y enjuta, de perfil rectilíneo (a diferencia de sus antepasados de perfil cóncavo), ojos grandes y expresivos, y dilatados ollares.

Los purasangre se inician en la competición a los dos años de edad; para entonces sus miembros pueden no estar totalmente desarrollados pero sus finas y poderosas piernas ya son capaces de ejecutar el glorioso paso del caballo de carreras.

La primera obra en que se cita al purasangre inglés se tituló *An Introduction to a General Stud Book* y fue publicada en 1791; en 1808 le siguió el primer volumen del *General Stud Book*. La aparición de esta primera «introducción» se debe a un tal James Weatherby, quien cuidadosamente investigó sobre las líneas de pedigrí. Hoy la casa Weatherbys continúa llevando el registro de los purasangre de carreras actuales. En Gran Bretaña solo pueden competir caballos registrados en Weatherbys, y es condición indispensable para ser registrados que sean purasangre ingleses. El nombre del caballo no puede superar los 18 caracteres (incluyendo espacios y signos de puntuación) y no puede resultar ofensivo, aunque, en alguna que otra ocasión memorable, este último criterio no ha sido estrictamente observado.

Los primeros purasangre eran posiblemente de menor tamaño que los caballos de carreras actuales, si bien eran más grandes que los ponis que competían en las cuatro millas. Adoptado ya el nombre de purasangre, la cría de la raza se orientó a obtener un caballo más grande y rápido en distancias cortas. Dado que el purasangre ya no tenía que ser lo bastante resistente como para competir en las cuatro millas, podía criarse en los establos y ser alimentado de manera que se lograsen caballos más grandes que madurasen antes. Así, la raza adquirió esbeltez y altura —entre los siglos XVIII y XIX el purasangre ganó 15 cm de alto—, y su aspecto se asemejó al de la raza que hoy conocemos. De hecho, desde mediados del siglo XIX ha cambiado poco, bien que pueden darse variaciones en función de la especialidad del caballo. Por ejemplo, el esprínter, que corre distancias cortas, tiende a ser alto y de piernas largas, mientras que el corredor de fondo es más compacto y musculoso. El clásico caballo de medio fondo es una combinación de estos dos tipos.

«El caballo de carreras actual es un animal de una gran belleza y presencia, cualidades heredadas de sus ancestros árabes.»

Izquierda: *Estos caballos de carreras retirados disfrutan de una idílica existencia en Matahura, Nueva Zelanda; atrás quedan ya las competiciones en los hipódromos.*

«Los buenos ejemplares de tiro irlandés son de patas fuertes y firmes, y de andares rectos y desenvueltos; tienen unas espaldas excelentes y una habilidad innata para el salto.»

Al igual que el árabe, el purasangre inglés ha sido empleado durante siglos para mejorar y perfeccionar otras razas. El caballo de tiro irlandés, por ejemplo, es un caballo de arrastre ligero excelente para realizar trabajos agrícolas; su cruce con un purasangre se traduce en un fabuloso e insuperable caballo deportivo.

Se desconocen los orígenes del caballo de tiro irlandés, aunque se cree que el omnipresente caballo español figura en mayor o menor medida en su linaje. Los equinos franceses y flamencos importados a Irlanda a principios del siglo XII probablemente otorgaran a los caballos irlandeses autóctonos su tamaño y temperamento pero más adelante la raza fue mejorada utilizando sangre española. El resultado fue un caballo robusto y grande —los sementales pueden presentar una alzada de 1,7 m—, de notable inteligencia y con una cabeza comparativamente pequeña, debido quizá al uso del poni connemara en las primeras yeguadas.

Los buenos ejemplares de tiro irlandés son de patas fuertes y firmes, y de andares rectos y desenvueltos; tienen unas espaldas excelentes y una habilidad innata para el salto que los convierte en animales ideales para cazar y para las pruebas de salto. Se dice que poseen una asombrosa capacidad para hallar «una pierna extra» cuando saltan, que siempre consigue sacar de apuros tanto al jinete como a la montura.

El cruce con purasangre le aporta calidad y velocidad añadidas y, de hecho, son muy pocos los caballos de tiro que no resulten beneficiados de dicho cruce.

Izquierda: *Se desconocen los orígenes del caballo de tiro irlandés pero al cruzarlo con el purasangre inglés se obtiene un caballo deportivo excepcional.*

Caballo de sangre fría (en contraposición al purasangre o al árabe, ambos de sangre caliente), el frisón es un rollizo animal de tiro descendiente del primitivo caballo del bosque europeo. Se trata de una raza equina entroncada con el andaluz (capítulo 3), que fue muy apreciada por los romanos por su inigualable capacidad de trabajo. Su nombre proviene de la región de Frisia, en los Países Bajos, y su origen se remonta hacia el 1000 a.C. Con el transcurso de los años, la raza mejoró, y de igual modo lo hizo su suerte. El fornido animal, además de ser recio y resistente, poseía un carácter dulce y dócil que hacía de él un caballo de enganche excelente. También era muy valorado como caballo militar. Si bien no era un animal de gran talla, tenía un porte magnífico y una marcha elevada impresionante. Durante la ocupación española de los Países Bajos en la guerra de los Ochenta Años (1568–1648), la mezcla con sangre española confirió elegancia a la raza.

Aparte de como caballo de silla y de enganche, en el siglo XIX el frisón era muy usado en las carreras de trotones, muy populares en la época. Ello hizo que se fomentasen los ejemplares más veloces y ligeros, lo cual casi acaba con el frisón original pero, afortunadamente, se puso en marcha un plan de cría para salvaguardar la raza. En la actualidad, el frisón es un pequeño y encantador caballo compacto, con un paso espectacular y un carácter simpático. Su alzada es de 1,5 m y posee un cuerpo musculoso, de piernas cortas y fuertes, con cascos duros. Su larga cabeza denota distinción y sus expresivos ojos delatan su jovial buena voluntad. El cuello es arqueado y su porte, orgulloso. La crin y la cola, exuberantes y onduladas, constituyen una reminiscencia de las del andaluz y el lusitano. Su capa es exclusivamente negra, sin manchas blancas. Se cree que los ponis británicos fell y dales (capítulo 6) descienden del frisón, como también lo hace el shire, el caballo de tiro pesado inglés (capítulo 8).

El frisón también ha desempeñado un importante papel en el desarrollo de otras razas, tales como el trotón de Orlov de Rusia o el trotón de Norfolk en Inglaterra (antepasado del actual hackney), y el morgan americano (capítulo 5). Dado su color negro y porte espléndido, es muy popular en los cortejos fúnebres para tirar de las carrozas y también en el circo disfruta de un nicho de mercado. Los primeros frisones fueron empleados en las escuelas de equitación españolas y francesas, en donde destacaban en los aires de la alta escuela. Hoy en día sigue siendo apreciado como caballo de carruajes, en la competición ecuestre o sencillamente por su eterna belleza.

Arriba y derecha: *El magnífico frisón está emparentado con el andaluz, cuya influencia se hace claramente visible en el aspecto noble de su cabeza y en sus vistosos movimientos.*

«El frisón, un pequeño y fornido caballo, luce un porte magnífico y una marcha elevada impresionante.»

Izquierda: *Los caballos de sangre templada combinan un paso elástico con un carácter dócil y un tradicional aspecto atractivo.*

«El caballo de sangre templada es un preciado caballo de competición que también domina la doma clásica.»

Abajo: *El oldenburgo es el más pesado de todos los caballos de sangre templada alemanes, entre los que se hallan el hannoveriano, el trakehner y el holstein.*

El imbatible caballo de sangre templada cuenta con un extenso palmarés de éxitos en su carrera. En el siglo XXI sigue siendo un preciado caballo de competición y domina los escenarios de doma clásica. El desarrollo del caballo de sangre templada se inició cuando los criadores quisieron lograr un animal que pudiese trabajar el campo y al tiempo ser empleado como caballo de enganche o militar. A medida que el armamento se volvió menos pesado, surgió la necesidad de una montura más ligera y ágil y, cuando la equitación dejó de ser algo imprescindible para convertirse en un deporte de recreo, aumentó la demanda de cabalgaduras más lustrosas.

El caballo de sangre templada moderno es una mezcla de «sangre caliente» (como el árabe o el purasangre inglés) con «sangre fría» (caballos de tiro descendientes del caballo del bosque). El resultado es un caballo de silla grande, con paso elástico, un aspecto atractivo y un carácter dócil. Entre las principales razas de sangre templada se cuentan el oldenburgo, el hannoveriano, el trakehner, el holstein, el holandés, danés y sueco de sangre templada y el caballo de silla francés.

Quizá el más aclamado de todos los caballos de sangre templada sea el hannoveriano, pues ha destacado tanto en el salto de obstáculos como en la doma clásica, y sobresale como caballo de competición. Se trata de una hermosa criatura de poderosas extremidades y paso largo y enérgico.

Los primeros hannoverianos fueron criados en Celle, en una cuadra fundada en 1735 por Jorge II, elector de Hannover y monarca de Inglaterra. Los sementales fundadores eran ejemplares de holstein, caballos de tiro de carruajes; posteriormente, su sangre se mezcló con la de purasangre inglés para mejorar la raza. Dicha influencia se aprecia en la cabeza del hannoveriano, de corte fino y con ojos grandes de mirada inteligente. Hoy en día en Celle se continúan criando hannoverianos y para su desarrollo se siguen empleando purasangre ingleses y trakehner, en busca sobre todo de mejorar su fiabilidad, rendimiento y carácter.

Páginas anteriores: *El precioso caballo de silla francés es un animal de sangre templada versátil y muy popular.*

Abajo, derecha y páginas siguientes: *El imponente hannoveriano es quizá la más célebre de todas las razas de sangre templada.*

Arriba: *Empleado originariamente como caballo militar, el holstein moderno es muy apreciado como caballo de competición y para la caza.*

Izquierda: *El cruce con sangre española y oriental, junto con una importante influencia del purasangre inglés, ha dotado de mayor calidad al holstein.*

El purasangre inglés también ha participado en el perfeccionamiento del holstein, el cual pasó con el tiempo de corcel de caballería a caballo de competición; se valora también como caballo de caza, saltador de obstáculos y caballo de doma. El holstein moderno es mucho más ligero que los primeros ejemplares de la raza, posee una cabeza más fina y, en términos generales, presenta una mayor calidad.

Existen indicios de esta raza ya en 1285 en la región de Schleswig-Holstein, de la cual toma su nombre. Como muchos de los equinos de sangre templada, se vio beneficiado del cruce con caballos españoles y orientales, así como con purasangre ingleses, los cuales mejoraron su excepcional carácter.

Arriba: *El trakehner es quizá el más elegante de los caballos de sangre templada.*

Izquierda: *Una complexión excelente y un paso atlético hacen del trakehner el caballo de competición ideal.*

El Trakehner es quizá el más elegante de todos los caballos de sangre templada y el que más se acerca al ideal de raza de competición. Originario del este de Prusia (hoy parte de Lituania), se desarrolló en la Royal Trakehner Stud, fundada por el rey Federico Guillermo I en 1732, y en un principio se conocía con el nombre de caballo prusiano del este.

El cruce con sangre árabe y purasangre ingleses ha dotado a la raza de una estampa más apuesta y ligera. La influencia del purasangre es visible en su hermosa cabeza, más expresiva que la de otras razas de sangre templada. El cuello largo y elegante, así como las espaldas bien formadas, también delatan su herencia. Su alzada oscila entre 1,62 y 1,64 m y muestra una complexión equilibrada excelente, que combina con un paso atlético y desenvuelto, y grandes dosis de brío.

La visión de los sementales blancos «bailarines» de la Escuela Española de Equitación de Viena, unos magníficos caballos capaces de ejecutar los extraordinarios saltos y piruetas de los aires clásicos de la alta escuela con una gracia y habilidad inimaginables, resulta sin duda difícil de olvidar.

Se trata de los celebérrimos lipizanos —admitidos como «españoles» por la escuela de equitación—, los cuales derivan fundamentalmente del caballo ibérico (capítulo 3) y toman su nombre del lugar en el que empezaron a criarse en 1580, Lipizza (o Lipica), en lo que era por aquel entonces parte del Imperio austro-húngaro.

Caballo fornido y compacto, el lipizano casi siempre es tordo, tendente a blanco, si bien se dan asimismo ejemplares de bayo y siempre permanece uno interno en la escuela de Viena. Los lipizanos que se emplean en la escuela de equitación se crían en Piber, Austria, pero también existen criaderos especializados en la raza en Hungría, República Checa y Rumanía. El lipizano actual desciende de tan solo cinco sementales, cada uno de los cuales con unos rasgos específicos.

Arriba e izquierda: *El mundialmente famoso lipizano es un fornido y compacto caballo, descendiente de las razas ibéricas.*

Sangre española corre también por las venas del bayo de Cleveland británico, cuyo origen se remonta a la Edad Media. Conocido antaño como caballo chapman, representa una de las razas más antiguas de Gran Bretaña.

La raza empezó a criarse en las colinas de Cleveland del condado de York, donde se empleaba para labrar el campo y para acarrear cantidades ingentes de lana, pilar de la economía del país en el siglo XVII. Posteriormente se refinó la raza para lograr un caballo de enganche más ligero y alto, y aún hoy en día es utilizado por la Casa Real británica como caballo de tiro de carruajes. Posee una osamenta y una esencia excelentes, cualidades que transmite cuando se cruza con otras razas, y constituye un caballo de silla excepcional.

También es un buen saltador (rasgo típico de la raza) y, cuando se cruza con el purasangre inglés, se obtiene un fabuloso caballo de caza. Fiel a su nombre, su capa es siempre baya, con manchas negras, y sin marcas blancas, a excepción de una pequeña estrella blanca esporádica.

Arriba y derecha: *En 2003, la situación del bayo de Cleveland fue tildada de «crítica» por el Rare Breeds Survival Trust, organismo que vela por los equinos indígenas de Gran Bretaña. Según un censo elaborado en 1997, solo quedaban 150 hembras reproductoras.*

Capítulo 5

CABALLOS AMERICANOS

CABALLOS AMERICANOS

Los caballos reintroducidos en el Nuevo Mundo en el siglo XVI aterrorizaron a la población indígena, la cual jamás había visto criaturas parecidas.

Dada la gran cantidad y variedad de razas equinas que pueblan el continente americano, resulta asombroso pensar que el caballo no fue reintroducido en aquellas tierras hasta el siglo XVI. Se cree que los équidos ya habitaban en América hace cientos de miles de años y que llegaron cruzando las lenguas de tierra que por entonces unían los continentes. Sin embargo, la caza condenó a estos primitivos equinos a la extinción; durante unos 8.000 años no hubo caballos en América, hasta que los conquistadores españoles pisaron el Nuevo Mundo en el siglo XV.

Los españoles conquistarían México y Sudamérica en el siglo XVI; la feroz invasión de México por parte de Hernán Cortés lograría someter a los aztecas y, de forma similar, Francisco Pizarro subyugaría a las tribus incas de Perú. Se sabe que Cortés desembarcó en México en 1519, llevando consigo (además de a su ejército) 16 caballos. Aquellos caballos españoles pioneros supusieron toda una conmoción para los aztecas, quienes jamás habían visto algo parecido.

Los caballos iban provistos de armadura, de igual modo que los jinetes, y a ojos de los temerosos nativos parecían

una sola criatura, mitad hombre mitad bestia, una especie de centauro. Cuando un jinete caía de su montura, los aztecas creían que el espeluznante ser se había partido por la mitad.

De los dieciséis caballos originales, once eran sementales —dos de los cuales eran píos o moteados— y cinco eran yeguas. Ellos serían los fundadores de las razas equinas norteamericanas, en que predominan los caballos moteados y con manchas.

El propio caballo de Cortés, el Morcillo, resultó gravemente herido en una pata durante una incursión en Honduras en 1524, lo que le impidió continuar la ofensiva. Cortés dejó al animal al cuidado de unos indios americanos con la intención de regresar a por él pero nunca pudo hacerlo. Pese a los esfuerzos de los supersticiosos indios, quienes no tenían la menor idea de cómo cuidar a aquel extraño animal, el Morcillo falleció, a causa probablemente de la malnutrición.

Los indios, temiendo represalias por parte del hombre blanco, erigieron una estatua del caballo, al que convirtieron en el dios Tziunchán (dios del trueno y del rayo) y le rindieron culto hasta que la imagen fue destruida por unos misioneros en 1697. No obstante, para entonces el caballo ya estaba sólidamente restablecido en el Nuevo Mundo.

Casi con certeza, el mustang (capítulo 1) desciende de estos primeros caballos, de las razas andaluza y berberisca, algunos de los cuales al parecer huyeron y comenzaron a criar de manera asilvestrada. De forma similar, se cree que el poni galiceno de México —cuyo nombre proviene de Galicia— desciende de algunos de los primeros caballos que los españoles llevaron de la isla de La Española (actual Haití) en el siglo XVI. El primer criadero americano se fundó en La Española, y le siguieron otros en Cuba, Puerto Rico y Jamaica.

Después del mustang, quizá la raza americana más famosa sea el cuarto de milla, cuyo nombre deriva de haber sido criado para disputar carreras de esa distancia (unos 400 metros). A menudo se dice, erróneamente, que el nombre le viene por el hecho de ser «un cuarto de purasangre inglés».

Originalmente el cuarto de milla era conocido como caballo de carreras cuarto de milla, o caballo corto, puesto que corría distancias cortas; o, de forma más grandilocuente, como el

Arriba: *El paso ágil y elástico del cuarto de milla lo convierte en una montura excelente para casi cualquier disciplina ecuestre.*

Arriba izquierda: *Los potros de cuarto de milla ya muestran curiosidad, indicio de la inteligencia inigualable propia de la raza.*

Páginas anteriores izquierda: *El cuarto de milla, la raza más célebre de Norteamérica, se crió para correr distancias cortas.*

Páginas anteriores derecha: *Mezcla de sangre árabe y de caballo de silla americano, este precioso ejemplar de caballo nacional de exhibición camina con orgullo.*

Célebre y Famoso Colonial Quarter Pather, y se crió por primera vez en Virginia y sus alrededores, en la costa este. Desciende de los primeros caballos españoles, con sangre árabe, y de ejemplares ingleses. En 1611 fue importado a Virginia un cargamento de 17 yeguas y sementales ingleses pertenecientes a razas nativas corredoras, que en Inglaterra darían lugar al purasangre inglés (capítulo 4), y probablemente se hallaban emparentadas con el hoy extinto poni galloway y el hobby irlandés, que daría lugar al connemara.

La raza americana más antigua de todas, el cuarto de milla, cuenta con doce estirpes principales, que en su día recibieron gran influencia del purasangre. El semental Janus fue importado en 1752 y, cuando murió en 1780, dejó un hijo del mismo nombre, el cual fundó la importante línea printer. Sir Archy, un hijo de Diomed, ganador del Derby (capítulo 4), también influyó en el desarrollo del caballo de silla americano. Las familias old billy, cold deck, shiloh y steel dust se remontan a sir Archy, y Joe Bailey y Peter McCude, dos de los sementales más destacados del siglo XX, son descendientes suyos.

Arriba: *Captado en los fértiles pastos de Maryland, este cuarto de milla es capaz de efectuar giros en muy poco espacio.*

Arriba derecha: *Este imponente par de ejemplares luce la típica constitución bella y compacta de la raza, la cual es célebre por su agilidad.*

Izquierda: *El cuarto de milla puede presentar cualquier color de capa sólido, incluido el tordo, aunque el más común es el castaño.*

Sin duda alguna, el cuarto de milla fue criado para correr a gran velocidad y, a día de hoy, sigue siendo el esprínter más rápido que existe. Su talla es comparativamente pequeña, pues no supera los 1,5 m de alzada; posee unas patas traseras y cuartos fornidos —los cuales le brindan sus característicos raudos arranques—, y unas patas delanteras recias.

La popularidad que fueron adquiriendo las carreras de larga distancia, a causa de la creciente influencia del purasangre inglés, bien podría haber conllevado la desaparición del cuarto de milla; sin embargo, su célebre *sprint* quizá fuese la menor de sus aptitudes.

El cuarto de milla tiene fama de ser capaz de efectuar asombrosos giros en muy poco espacio y fue precisamente su agilidad la que lo salvó de la ruina. Si bien es originario de la costa este de Norteamérica, en el siglo XIX fue utilizado como caballo de enganche y de monta por los colonos que empezaron a asentarse por todo aquel vasto continente.

En los estados occidentales, su velocidad, agilidad e inteligencia lo convirtieron en un magnífico caballo de rancho, que poseía un «sentido para el ganado» innato. Tal vez no sea de extrañar dadas sus raíces españolas, puesto que los caballos españoles son célebres por su habilidad en los ruedos.

Su reputación de «animalillo adormilado pero rápido como una centella» no niega su carácter dócil y sosegado, así como su versatilidad; en la actualidad el registro del cuarto de milla constituye el *studbook* más extenso del mundo, con más de un millón y medio de ejemplares de raza registrados.

Por su combinación de agilidad e inteligencia, y su naturaleza cordial, este pequeño y compacto equino supone una montura ideal para cualquiera, desde el niño principiante hasta el vaquero más experimentado.

Derecha: *Este appaloosa de tipo leopardo exhibe una de las cinco capas propias de la raza: un moteado oscuro distribuido por todo el cuerpo. Las marcas del pelaje de este caballo —muy preciado por las tribus indias que lo criaban— eran casi tan importantes como su naturaleza robusta y sociable.*

Arriba *El cuarto de milla es una de las razas equinas más populares del mundo.*

«La raza americana más antigua de todas, el cuarto de milla, cuenta con doce estirpes principales, que en su día recibieron gran influencia del purasangre inglés.»

El cuarto de milla se ha convertido en un valioso caballo de cruce, especialmente con el caballo moteado americano: el appaloosa. Esta llamativa raza, reconocible al instante, fue desarrollada por los indios nez percé («nariz horadada») en los estados de Oregón, Washington e Idaho, y su nombre proviene del río Palouse, en una de las regiones de cría principales.

Se sabe que entre los ejemplares llevados a América por los conquistadores figuraban algunos linajes moteados, cuyos genes prosperaron. Estos indígenas americanos —quienes apreciaban sus distintivas marcas tanto como su fortaleza y buena disposición— fueron muy selectivos, pues castraron a los machos que consideraron inapropiados para la cría e intercambiaron las yeguas de calidad inferior con otras tribus.

El appaloosa moderno presenta cinco tipos de marcas: leopardo (fondo blanco con manchas oscuras), copo de nieve (manchas blancas concentradas sobre los cuartos traseros), manta (cuartos blancos o moteados), mármol (todo el cuerpo moteado) y escarchado (jaspeado blanco sobre fondo oscuro).

Además de su llamativo colorido, el appaloosa posee otros rasgos distintivos, como una cola escasamente poblada, característica que los indios nez percé consideraban práctica puesto que así se enredaba menos en los arbustos.

Una zona blanca alrededor de los ojos y la piel moteada en torno a los belfos son requisitos de la raza. A menudo, sus cascos duros y fuertes aparecen listados en sentido vertical.

Tanto los indios nez percé como sus corceles fueron casi barridos del mapa por el ejército de EE. UU. en 1876, pero la raza logró sobrevivir y hoy es una de las más populares.

Arriba: *Este appaloosa presenta la zona blanca alrededor de los ojos y la piel de la nariz y los belfos moteada, rasgos propios de la raza.*

Derecha: *El caballo nacional de exhibición norteamericano combina la belleza del árabe con el carisma del caballo de silla.*

«El caballo de silla americano es un animal de enganche excelente, así como un gran caballo de exhibición.»

Izquierda y arriba: *Jóvenes ejemplares de caballo de silla americano exhiben la belleza de la raza, heredada en gran parte del purasangre inglés, que sigue siendo el rey de Kentucky.*

El caballo de silla americano ha sido calificado como «el pavo real de las pistas de exhibición» ya que combina sus espectaculares y únicos pasos con una espléndida presencia. Denominado originariamente caballo de silla Kentucky, la raza se basa en dos antiguos caballos de paso: el canadiense y el narrangasett.

Imponente al tiempo que funcional, el caballo de silla americano recuerda al hackney inglés por su llamativa andadura elevada y es un animal de enganche excelente, así como un gran caballo de exhibición. Para desarrollar este caballo —criado en los ricos pastos de forraje de Kentucky— se llevaron a cabo cruces con purasangre ingleses.

Sin embargo, el caballo de silla americano tiene «mala prensa» debido a su imagen de exhibición: cola de implantación elevada, producida de forma artificial, y piernas excesivamente largas. Pero lo cierto es que es un bello animal de paso magnífico, que en los cinco andares desarrolla un aire lateral de cuatro tiempos y un *rack* más rápido y elevado.

Arriba: *Una yegua purasangre presume de su andadura de caballo de carrera.*

Izquierda: *Este potro purasangre disfruta de sus primeros días de vida en una de las cuadras de caballos purasangre más grandes de EE. UU. El mundo del purasangre americano gira en torno a su «capital», Lexington, Kentucky. Allí se alza la estatua de Man O' War, conocido también como Big Red, uno de los purasangre más famosos del siglo XX. Solo fue derrotado en una ocasión y más de mil personas acudieron a su funeral en 1947.*

Derecha: *La popularidad del purasangre ha aumentado en todo el mundo.*

Arriba, derecha y arriba derecha: *El poni de las Montañas Rocosas posee un pelaje de color chocolate poco frecuente que no suele aparecer en otros descendientes de los primeros caballos españoles llevados a América. Otro rasgo de la raza es que tanto las crines como la cola son muy rubias y pobladas. En términos generales, es un animal compacto y hermoso.*

Si el caballo de silla americano es célebre por su hermosura, el poni de las Montañas Rocosas fue criado únicamente por razones prácticas. Al igual que la mayoría de caballos de Estados Unidos, sus orígenes se remontan al caballo español traído por los conquistadores, pero la raza se desarrolló gracias a un tal Sam Tuttle, de Kentucky, y a un semental fundador llamado Old Tobe. Tuttle criaba caballos para todos los niveles de monta y Old Tobe transmitió a su descendencia su marcha elegante, hermosa morfología y carácter dócil.

Si bien no existe un estándar de raza establecido —pues solo hay unos 200 ejemplares inscritos desde que se abrió el registro en 1986—, se trata de un animal compacto, con una alzada de aproximadamente 1,45 m. Y aunque la raza se desarrolló con fines funcionales, más que ornamentales, es un poni con un atractivo innegable y un color de pelaje inusual.

El paso peruano, y su pariente cercano, el paso fino, son tan o más apuestos que su primo andaluz y guardan con él un asombroso parecido. Al igual que el caballo de silla y el de paseo de Tennessee, estos equinos poseen una andadura particular, o paso. El paso peruano se estableció como raza en Perú a partir de caballos importados por el explorador español Francisco Pizarro y se cree que tiene un cuarto de sangre andaluza y tres cuartos de berberisca. El paso fino es una raza muy próxima criada en Puerto Rico.

Derecha y abajo: *El paso fino de Puerto Rico (derecha) está estrechamente vinculado al paso peruano (abajo), cuyo origen se halla en los caballos españoles llevados al Nuevo Mundo por Francisco Pizarro.*

Arriba: *El paso peruano tiene un cuello musculoso y arqueado, y cola y crines de pelo fino, muy pobladas. Los colores más comunes son el bayo y el castaño, si bien se dan todas las capas de colores sólidos.*

Izquierda: *Este semental de paso fino hace gala de la fogosidad y el espíritu, así como de la belleza de la raza. Asimismo, ilustra las similitudes entre el paso y el andaluz, con el cual se halla íntimamente ligado.*

Páginas siguientes: *El paso peruano ejecuta, de forma instintiva, una serie de pasos característicos, como el paso fino, paso corto y paso largo.*

Desarrollado mediante una cría altamente selectiva durante un periodo de 300 años, la característica que ha hecho célebre al paso peruano es su andadura lateral: sus patas delanteras se arquean lateralmente mientras que las poderosas patas traseras y bajos cuartos lo impulsan hacia delante.

Existen tres tipos de andadura: el paso fino (movimiento elevado y reunido), el paso corto (marcha tranquila de paseo) y el paso largo (un andar rápido y extendido que el caballo es capaz de aguantar durante una distancia larga y que resulta sumamente cómodo para el jinete). No es un caballo de gran tamaño —oscila entre 1,4 y 1,5 m de alzada— pero es resistente y posee mucho brío; es capaz de mantener una velocidad de 17,5 km por hora sobre el terreno áspero y difícil que a menudo encuentra en su tierra natal.

El paso fino de Puerto Rico ejecuta los mismos pasos de forma natural; es decir, no los aprende sino que los hereda. Otras dos razas norteamericanas presentan pasos distintivos: el caballo de silla americano y el caballo de paseo de Tennessee.

El caballo de paso de Tennessee es famoso por su andar deslizante y rápido, gracias al cual puede mantener velocidades de hasta 14,5 km por hora. Descendiente de caballos españoles, posee también sangre del caballo de silla americano, del morgan y del purasangre inglés, y exhibe tres tipos de andadura excepcionales: el paso llano, el paso rápido y un suave y cómodo medio galope. Todas estas acciones, al igual que en el paso peruano, no son aprendidas sino innatas. Del caballo de paseo de Tennessee se dice que «si lo montas hoy, lo comprarás mañana», a causa de su cómoda andadura. Los terratenientes de las plantaciones sureñas lo eligieron como caballo con el cual inspeccionar sus cultivos.

Este sencillo caballo de huesos largos tiene un carácter constante y fiable, y es una opción ideal como caballo familiar o como monta para jinetes inexpertos. Se dan todos los colores pero los más comunes son el negro y el castaño.

Izquierda y arriba: *El paso de Tennessee es una raza americana de incomparable andadura.*

En ningún otro lugar del mundo el caballo pinto se considera una raza equina, sino meramente un color. Solo en Norteamérica goza de categoría de raza y desde hace relativamente poco tiempo, puesto que no fue reconocida hasta 1963. Su nombre deriva de la palabra *pintado*, que lo describe a la perfección.

Presenta dos tipos de pelaje: el overo y el tobiano. La capa overa consiste en un fondo oscuro con manchas blancas y es más común en los caballos sudamericanos, mientras que el tobiano es blanco con manchas oscuras bien definidas, y se halla en Norteamérica. Su alzada oscila entre los 1,5 y los 1,6 m.

Abajo: *Este precioso pinto americano presenta un pelaje overo, castaño con manchas blancas. Su nombre proviene del término* pintado.

Arriba: *El caballo pinto era la montura favorita de los indios americanos, ya que su capa manchada se reveló como un buen método de camuflaje. Estos jóvenes ejemplares ilustran su característica capa.*

«En ningún otro lugar del mundo el caballo pinto se considera una raza equina, sino meramente un color.»

Izquierda: *Se cree que el pelaje overo (fondo oscuro con manchas blancas) se debe a un gen recesivo, mientras que el tobiano (blanco con grandes manchas oscuras) viene determinado por un gen dominante.*

Arriba: *El caballo pinto solo tiene categoría de raza en Estados Unidos, y la Paint Horse Association lo clasifica según cuatro tipos: de brega, de caza, de recreo y de silla.*

Derecha: *El fox trotter de Misuri, una de las razas americanas menos conocidas, se crió originariamente como caballo de carreras, pero su andadura elegante y confortable y su capacidad para recorrer largas distancias a gran velocidad pronto hicieron de él un popular caballo de silla.*

Izquierda: *El palomino —otro caballo familiar para los aficionados al* western, *de color crema o dorado— también está registrado como raza en EE. UU.*

Izquierda: *Se especula con la teoría de que el padre del primer morgan fue un purasangre inglés, un frisón o bien un cob galés. El experto Anthony Dent sostiene que «es muy probable que Justin Morgan fuera un cob galés con algo de sangre árabe o de purasangre inglés».*

Abajo: *Este precioso semental de morgan luce la cabeza recta y afilada de la raza, así como una actitud amable e inteligente.*

De entre todas las razas americanas, el morgan es el caballo más antiguo y tiene como peculiaridad que desciende de un único progenitor. Su nombre original era Figure pero al morir su propietario adoptó su nombre: Justin Morgan. Nació hacia 1790 y fue adquirido por su epónimo dueño cuando contaba dos años de edad. Aunque solo medía unos 1,4 m de alzada, poseía una tremenda resistencia así como una enorme potencia, y logró transmitir a su descendencia toda su fortaleza, aguante y marcha elevada.

Se desconoce su origen, si bien se cree que el semental que lo engendró podría haber sido un purasangre inglés, un frisón o un cob galés. Sean cuales sean sus raíces, es un caballo robusto y pequeño con un carácter adorable, que ha ejercido una importante influencia en las razas americanas.

Capítulo 6

PONIS DEL MUNDO

PONIS DEL MUNDO

Inteligente, astuto, pícaro y a la vez amistoso, el poni hace buen uso de su encanto para ablandar los corazones.

Angelical y descarado a partes iguales, el poni, con su encanto y carisma, sabe ganarse el afecto de los más pequeños y enternecer a los más mayores. Inteligente, pícaro, astuto y, en última instancia, cordial, sabe exactamente cómo salirse con la suya y siempre se lo permitimos.

El mundo es un crisol de razas de ponis, y tanto el árabe (capítulo 2) como el caballo ibérico (capítulo 3) figuran en sus linajes. No obstante, Gran Bretaña atesora algunos de los más antiguos y valiosos ponis; sus nueve razas autóctonas son admiradas y exportadas a todo el mundo.

El poni exmoor, por ejemplo, originario de los páramos del mismo nombre que se hallan al norte del condado de Devon y al oeste del de Somerset, aparece en el Domesday Book de 1085, si bien se cree que su origen se remonta a los ponis celtas del Pleistoceno. Sin embargo, por sus venas corre también sangre española. En 1815, un semental pardo con un punteado blanco, llamado Katerfelto, vagaba por el páramo y, aunque se le dio captura, nunca se supo de dónde procedía. Hoy es posible ver ponis pardos en Exmoor esporádicamente y, junto con el bayo y el marrón, son los únicos colores permitidos.

Página anterior: *El poni exmoor posee un gran encanto y, pese a su pequeña talla, es capaz de transportar a un jinete adulto ligero.*

Arriba: *El exmoor presenta manchas pálidas alrededor de los belfos y «ojos de sapo», de párpados caídos, como protección frente a los elementos del páramo.*

Arriba derecha y derecha: *Robusto y resistente, el exmoor lleva una vida semiasilvestrada en los páramos ingleses del mismo nombre.*

Animal de innegable encanto, el exmoor es hoy una pequeña, rolliza y fuerte criatura de hermosa cabeza y con unas distintivas manchas pálidas en torno a los belfos. Tiene también unos ojos saltones, u «ojos de sapo», con unos párpados muy caídos que le sirven de protección frente a los elementos. Aunque algunas de las manadas tienen propietario, los ponis viven de forma semiasilvestrada y tienden a mostrarse asustadizos ante los humanos; también suelen temer a los perros, quizá porque guardan un recuerdo atávico de la amenaza que suponían las manadas de lobos.

Otra peculiaridad de la raza es la poblada mata de pelo grueso de la cola que le brinda protección frente a la lluvia, el aguanieve y la nieve. La raza presenta también un séptimo molar que no posee ningún otro equino.

Además de por su fortaleza y resistencia, el exmoor resulta una buena montura para los niños por su carácter manso. Lamentablemente, hoy es una especie amenazada.

«Además de por su fortaleza y resistencia, el exmoor resulta una buena montura para los niños por su carácter manso.»

Abajo: *El paso largo y no muy elevado del dartmoor y su complexión lo hacen un excelente poni de silla para niños; cruzado con purasangre inglés o árabe, resulta muy polivalente.*

El dartmoor, un pequeño poni vecino del exmoor que habita en el centro y sur del condado de Devon, es asimismo una especie amenazada y fue casi aniquilado por completo durante la Segunda Guerra Mundial.

Se cree que los orígenes de la raza están vinculados al viejo caballo de carga de Devon y al llamado poni goonhilly de Cornualles, si bien ambas razas hoy están extintas. El dartmoor ha sido mejorado con sangre árabe y galesa, pero un cruce con ponis de Shetland destinado a obtener ponis de carga para trabajar en la minería resultó desastroso para la raza.

Sería lamentable que el dartmoor se extinguiese por completo pues su cómoda andadura y carácter sumiso hacen de él un fabuloso poni de silla que, al ser cruzado con el purasangre inglés o con el árabe, resulta un animal muy polivalente. Sus cascos duros y firmes, así como su paso largo y no muy elevado hacen de él un poni fantástico para los niños. Los dartmoor son bayos, marrones o negros, sin manchas.

«Se cree que los orígenes de la raza están vinculados al viejo caballo de carga de Devon y al llamado poni goonhilly de Cornualles.»

Arriba: *De igual modo que el poni exmoor, el dartmoor figura en la lista de especies amenazadas del Rare Breeds Survival Trust.*

Izquierda: *Los ponis dartmoor pueden ser bayos, marrones o negros. Este pequeño caballo pío no es un dartmoor puro y no sería aceptado en el registro de raza.*

Si lo que se busca es un primer poni para un niño, no hay mejor opción que el new forest. Inteligente, dócil y voluntarioso, es un animal de pisada firme y muy manso.

La raza ha recibido una importante influencia de otros equinos; ya en el siglo XIII se tiene noticia de ponis en el bosque de New Forest, en el condado de Hampshire, y se sabe que el purasangre Marske (progenitor del gran Eclipse) montó algunas de las yeguas de New Forest en el siglo XVIII. En el siglo XIX su sangre se mezcló con sangre árabe y berberisca y, en 1918–1919, el poni de polo Field Marshall contribuyó considerablemente al desarrollo de la raza. Muchos ponis de doma clásica de primera categoría poseen sangre de new forest.

Animal robusto y adaptable, su paso largo y poco elevado y su amplio medio galope lo acreditan como poni de silla. La alzada máxima del new forest es de 1,44 m, lo cual significa que puede transportar adultos sin dificultad.

Superior: *El poni new forest moderno es una raza robusta y adaptable, mejorada gracias a la influencia de otras razas equinas. Aquí lo vemos con su tupido pelaje de invierno, en estado semisalvaje.*

Arriba: *El new forest tiene un paso largo y poco elevado, y un amplio medio galope. Puede llevar tanto a adultos como a niños.*

El connemara es otra raza autóctona que constituye un excepcional poni de silla tanto para niños como para adultos. El nombre de la raza proviene de la región salvaje de la costa oeste de Irlanda y se trata del único poni indígena del país. Su precursor, el hobby irlandés, junto con el poni galloway, desempeñaron un papel crucial en el desarrollo del purasangre inglés; posteriormente, el connemara fue cruzado con el árabe y, sorprendentemente, con el clydesdale. La influencia de los cruces con equinos orientales se aprecia en su hermosa cabeza. La sangre galesa y la del purasangre inglés también contribuyeron al perfeccionamiento de la raza, considerada una de las mejores razas de poni del mundo.

Si bien el color más común era el pardo con manchas negras y una franja dorsal oscura, la mayoría de connemara actuales son tordos —aunque el bayo y el marrón también se aceptan—. Originarios de las cenagosas y salvajes marismas irlandesas, son ponis tremendamente resistentes, de patas fornidas y fuertes cascos que los hacen buenos saltadores.

Superior y arriba: *Los connemara son tordos, aunque también los hay bayos y marrones.*

Tanto el poni dales como el fell del norte de Inglaterra figuran en la lista del Rare Breeds Survival Trust, el primero catalogado como especie «vulnerable», y el segundo como especie «amenazada». El fell, reconocido desde la época romana, era empleado como caballo de tiro y de carga. Los monjes cistercienses también lo utilizaban y se cree que fueron ellos quienes introdujeron el color gris, ya que la estirpe «blanca» denotaba su pertenencia monástica. Otros colores de capa más frecuentes son el negro, el marrón y el bayo. Fuerte y resistente, a pesar de su alzada inferior a 1,4 m, el fell se usa hoy como caballo de silla, de enganche y en tareas agrícolas. También se emplea en la tala de árboles, puesto que su agilidad y su pisada segura le permite moverse bien por los bosques, terrenos demasiado abruptos para los tractores.

El poni dales era muy utilizado como caballo de granja y para acarrear pesadas cargas de plomo a través de terrenos agrestes desde las minas hasta los puertos nororientales británicos. Los regimientos de artillería lo usaban asimismo para transportar la munición por la montaña.

Algo más alto que el fell, presenta una andadura excelente que lo convierte en un magnífico poni de silla y de enganche. La raza ha sido cruzada con el cob galés y el clydesdale —la influencia de este último se revela en los infrecuentes dales tordos, ya que la capa suele ser negra—. Por su parte, la sangre de cob galés permite al dales preservar su maravillosa marcha.

Sin embargo, sus primeros pasos probablemente arranquen con el frisón, con el cual aún guarda un parecido. Posee una hermosa cabeza que descansa sobre un cuello bastante corto y grueso, y el cuerpo es fuerte y fornido. Las crines y cola son exuberantes y las piernas, peludas. Al ser un animal dócil y sociable, constituye una cabalgadura infantil ideal.

Arriba: *El poni dales, como el fell, es célebre por su fortaleza y destaca también por su excepcional andadura.*

Arriba derecha: *Los ponis fell son fuertes y resistentes, y se emplean como caballos de silla, enganche y en granjas. Es una raza reconocida desde la época romana.*

Derecha: *Se cree que el origen del poni highland se remonta al antiguo poni forest.*

El poni highland escocés es otra de las razas que podría descender del antiguo poni forest, base del frisón. Antaño existían dos tipos de highland: un poni de talla más pequeña que habitaba en las islas occidentales y uno de mayor tamaño y más pesado, que vivía en tierra firme. Hoy en día ya no existe distinción entre las dos variedades, exceptuando una manada semiasilvestrada que habita en la remota isla de Rhum, y que conserva los rasgos del tipo de poni más pequeño, como las antiguas gamas de color de la capa parda. Actualmente se ven sobre todo colores sólidos que suelen presentar una franja dorsal y unas marcas cebrunas en las patas. En su bella cabeza, de orejas pequeñas y ojos grandes y amables, se aprecia la influencia de la raza árabe. El cuello es largo, el lomo, corto y robusto y los cuartos traseros, fornidos.

El riguroso clima escocés ha curtido al highland y ha hecho de él un poni fuerte y resistente, capaz de acometer casi cualquier tarea. Los campesinos escoceses lo emplean como caballo de silla, de enganche, de carga y de labranza; también es apreciado por los cazadores de ciervos de las Highlands por su fortaleza y naturaleza serena. Su carácter generoso hace de él un equino polivalente que, cruzado con el purasangre inglés, se convierte en un espléndido cazador.

«En su bella cabeza, de orejas pequeñas y ojos grandes y amables, se aprecia la influencia de la raza árabe.»

Derecha: *Una yegua highland con su cría.*

Deben de existir pocos lugares más extremos que las islas Shetland, al norte de la costa escocesa. La robustez de la raza equina autóctona de las islas es legendaria, como lo es su fortaleza, pues se cree que el poni shetland es el más fuerte que se conoce. El shetland es una raza antigua que podría tener estrechos vínculos con ponis escandinavos, los cuales habrían llegado a las islas escocesas antes de que el mar separase las tierras hacia el 8000 a.C. Si bien estos animales podrían haber recibido influencias de los ponis celtas llevados a Escocia en los siglos II y III a.C., el aspecto del shetland habría cambiado poco en los siglos subsiguientes.

Tiene una cabeza pequeña y bien formada, con orejas también pequeñas y una frente ancha, señal de la inteligencia inherente de la raza. Sus amplios ollares calientan el aire antes que este llegue a los pulmones —un rasgo que a menudo se da en equinos de latitudes más septentrionales— y una doble capa sumamente impermeable lo protege de la lluvia y el viento en invierno.

La Shetland Pony Studbook Society, organismo que establece el estándar de raza para los ponis registrados, distingue entre ponis miniatura, con una altura hasta la cruz de hasta unos 86 cm, y ponis estándar, de entre 86 y 107 cm, que es la alzada máxima permitida. Se aceptan todos los colores, incluido el pío, pero no así las capas moteadas.

Izquierda y derecha: *Los ponis shetland pueden presentar cualquier color sólido o pío, pero el* studbook *no acepta el pelaje moteado.*

«Debía tener el perfil rectilíneo del árabe, el cuerpo fornido del cuarto de milla y la emblemática capa del appaloosa.»

Cada vez más popular en Europa, el shetland también cuenta con numerosos admiradores en América, hasta tal punto que se ha desarrollado una raza de «shetland americano». Fue cruzado primero con ponis hackney y después con caballos árabes pequeños, con lo que se consiguió un animal mucho más llamativo que la raza original. También se empleó para desarrollar el poni americano mediante un cruce entre un semental shetland y un appaloosa de vistosa capa moteada.

El hombre al que se atribuye el desarrollo del poni americano era un abogado llamado Les Boomhower de Mason City, en Iowa. Al parecer, le fue ofrecida una yegua mitad árabe mitad appaloosa y su cría, blanca con manchas negras por todo el cuerpo, a la que bautizó con el nombre de Black Hand.

Llamó así al potro porque las manchas negras de uno de sus flancos parecían dibujar una mano. Fueron precisamente aquellas marcas insólitas las que dieron al abogado la idea de fundar el Club del Poni Americano. Cruzó al potro con yeguas shetland y los ponis resultantes tenían que cumplir una serie de requisitos muy estrictos, tales como no medir menos de 111 cm ni más de 132 cm. También debía tener el perfil cóncavo del árabe, el cuerpo fornido del cuarto de milla y la emblemática capa del appaloosa, visible a una distancia de más de 12 m.

La raza —concebida como montura infantil, si bien podía transportar también adultos— creció y creció, en todos los sentidos. Desde Black Hand, registrado en el club en 1954, en 1996 el registro contaba con 40.000 ejemplares; en 1963 la alzada estándar oscilaba ya entre 117 cm y 137 cm y, en 1985, la altura máxima permitida había aumentado hasta los 142 cm.

Al verse cruzado con ponis galeses, indios y mustangs, el poni americano volvió a ser un caballo de talla pequeña, bien que preservó su enorme atractivo.

Izquierda: *El poni americano se fundó cruzando un semental de shetland con una yegua appaloosa.*

Izquierda: *El cada vez más popular caballo miniatura shetland presenta una alzada inferior a 86 cm desde el suelo hasta la cruz.*

Derecha: *Estos potros shetland miniatura lucen ya la pequeña y hermosa cabeza característica de la raza, y están dotados de una gran inteligencia.*

Abajo derecha: *Los ponis shetland destacan por su robustez y prosperan a pesar de las crudas condiciones de su tierra natal.*

Abajo: *Los shetland, sobre todo los miniatura, cuentan con muchos admiradores en América. Es tanta la afición que en EE. UU. existe una raza de shetland diferenciada.*

«La robustez de la raza equina autóctona de las islas es legendaria, como lo es su fortaleza, pues se cree que el poni shetland es el más fuerte que se conoce.»

Arriba: *El* studbook *del poni galés y del cob se divide en cuatro secciones; la A y la B corresponden a los ponis galeses y la C y la D, a cobs.*

Arriba izquierda: *Estos jóvenes ponis de las montañas de Gales deben a sus antepasados su capacidad de sobrevivir a pesar de la escasez de alimento.*

Página anterior: *El poni de las montañas de Gales es quizá la montura infantil más famosa del mundo.*

Izquierda: *Aunque resulte encantador, jamás debe considerarse al poni galés como un «bonito juguete»; es fuerte y valiente, fogoso y sociable.*

Tal vez la raza de poni más popular en el mundo entero sea el poni de las montañas de Gales (sección A), una pequeña y encantadora criatura, con el perfil cóncavo y los ojos grandes del caballo árabe. Su alzada no supera los 1,2 m y constituye una espléndida cabalgadura infantil.

Sin embargo, no hay que considerarlo solo un «bonito juguete»; el poni galés, fundador de las cuatro secciones del *studbook* de la Welsh Pony and Cob Society, posee un carácter fuerte, y se aplica a sí mismo el dicho «solo los más fuertes sobreviven». Es robusto y resistente, y ha sido capaz de sobrevivir a base de la escasa vegetación que sus ancestros hallaron en las montañas de Gales. Asimismo, es valiente, fogoso y sociable.

Al parecer, los romanos fueron los primeros en mejorar la raza galesa autóctona mediante cruces con caballos orientales. El poni galés debe mucho a un semental llamado Dyoll Starlight, cuya madre, decían, era de raza «árabe miniatura»; el purasangre inglés también contribuyó al perfeccionamiento a través de Merlín, un vástago directo del árabe Darley.

La sección B es similar al poni de las montañas de Gales pero es más un poni de silla. Con una alzada de unos 1,3 m, presenta un paso largo y poco elevado, si bien conserva la misma fortaleza inherente y unos cascos duros y firmes.

El cob galés también constituye un excelente caballo de silla y, dado que es mayor que las secciones de ponis, resulta adecuado tanto para niños como para adultos. La diferencia principal entre las dos secciones es el tamaño: la sección C del poni galés de tipo cob presenta una alzada de hasta 1,34 m, mientras que la sección D no tiene una alzada máxima permitida. Descrito como «el mejor animal de monta y enganche del mundo», el cob galés se originó cruzando al poni de las montañas de Gales con caballos importados por los romanos. En los siglos XI y XII se mejoró la raza utilizando caballos españoles y posiblemente también berberiscos. De dichos cruces surgió el caballo de carro galés (hoy extinguido) y el cob powys. Este último, cruzado con ejemplares de norfolk roadster y de caballos de carruajes de Yorkshire en los siglos XVIII y XIX, dio como resultado el cob galés actual.

Se trata de una versión mayor del poni de las montañas de Gales, con cabeza de poni y una buena estructura ósea. Fogoso, valiente y recio, su vigor lo convierte en un cazador excelente que, cruzado con el purasangre inglés, produce un fabuloso caballo de competición. Se distingue por su llamativo y espectacular trote, que ha hecho de él un popular caballo de arnés, si bien su velocidad y alcance lo convierten también en un aclamado caballo de silla.

Arriba y arriba izquierda: *Los cobs galeses poseen cabeza de poni y una buena estructura ósea. Su trote es espectacular y, cruzados con el purasangre inglés, producen excelentes caballos de competición.*

Páginas siguientes: *El cob galés (sección D del* studbook*) tiene fama de ser «el mejor poni de monta y de enganche del mundo».*

Del fascinante poni austriaco haflinger se dice que, una vez visto, resulta imposible olvidarlo y, de hecho, la popularidad de este llamativo poni no ha hecho sino aumentar.

La raza tiene su origen en el sur del Tirol, donde el poni tirolés nativo fue cruzado con equinos de raza árabe recuperados de las guerras continentales. El resultado fue una robusta raza de montaña criada en los establos alpinos, que tomó su nombre del pueblo de Hafling, hoy norte de Italia.

Aunque apenas sobrepasa los 1,4 m de alzada, el haflinger es fuerte en relación a su talla, y su belleza —su capa siempre es de un castaño brillante con cola y crines exuberantes— le ha valido el ser hoy criado en más de veinte países.

«La capa del haflinger es siempre castaña, con tonos del dorado al orín, y las crines y cola son exuberantes.»

Abajo y derecha: *Pese a su diminuto tamaño, los haflinger son ponis robustos.*

Izquierda y derecha: *Para los islandeses, su raza equina autóctona —la cual ha logrado mantenerse pura— no es un poni sino un caballo miniatura.*

Abajo: *El caballo islandés ejecuta cinco aires, incluyendo el* tolt, *un paso muy rápido con el que puede atravesar terrenos accidentados.*

A pesar de que apenas supere los 1,3 m de alzada, para los islandeses, su raza autóctona no es un poni; se trata del caballo islandés. Se cree que los caballos llegaron a Islandia en el siglo I d.C. de la mano de las tribus escandinavas que se asentaron en esta isla volcánica.

La raza islandesa se mantiene extremadamente pura, en buena parte debido a que el Gobierno prohibió cualquier tipo de injerencia extranjera ya en el año 930 d.C., tras un desastroso experimento con sangre oriental para mejorar la raza. Se trata de un caballo sencillo y robusto, de cabeza pesada y cuerpo corto. Ejecuta cinco aires, entre ellos el característico *tolt*, un paso rápido con el que puede atravesar terrenos accidentados velozmente, descrito como «un paso de pisada constante con el que puede cambiar del reposo a la velocidad».

Arriba: *El poni de los fiordos noruegos guarda un gran parecido con el histórico przewalski, por su color pardo y sus marcas dorsales.*

El poni de los fiordos noruegos solía ser utilizado por los leñadores y tal vez haya influido en el caballo islandés, de tipo similar, puesto que los guerreros vikingos lo emplearon en sus incursiones por Escandinavia. Guarda un gran parecido con el antiguo przewalski salvaje (capítulo 1), por su color pardo con una franja dorsal, sus marcas de cebra y sus gruesas crines erectas.

Derecha y arriba derecha: *El caspio emana calidad de la cabeza a los pies.*

Al igual que la raza islandesa, el caspio está considerado un caballo pequeño, a pesar de que su alzada se halle entre 1 y 1,2 m. Esta antigua raza —originaria de la zona de los montes Elburtz y del mar Caspio, en la antigua Persia— se creía extinguida hasta que en 1965 se hallaron varios ejemplares tirando de carros en el norte de Irán.

«Se cree que el caspio puede haber sido un "prototipo" lejano de la raza árabe, ya que posee numerosos rasgos suyos en miniatura, pero la raza es unos 3.000 años anterior al árabe.»

Se cree que puede haber sido un «prototipo» lejano de la raza árabe, ya que posee numerosos rasgos suyos en miniatura, entre ellos el perfil cóncavo y las orejas cortas y pequeñas. También presenta el pelo fino de la cara y los ojos grandes y brillantes, pero la raza es unos 3.000 años anterior al árabe. De cuerpo estrecho y espaldas inclinadas y fuertes, presenta un lomo corto y la inserción de la cola es elevada, al igual que la del árabe. Los colores de capa más frecuentes son el bayo, el tordo y el marrón, aunque también se dan el negro y el crema. El caspio goza de una osamenta buena y densa, y de unos pies muy fuertes y ovalados.

A pesar de su fogosidad, es voluntarioso y amigable, lo que lo convierte en una montura infantil ideal. Su andadura es extendida y flotante, equivalente a la del caballo medio en todas las marchas, excepto en el galope extendido. También es robusto, por lo que resulta un buen caballo de arnés.

Capítulo 7
POTROS

POTROS

Casi todo el mundo encuentra cuando menos graciosas a las crías de animales, pero hay algo en la torpeza de los patilargos potrillos que ejerce sobre nosotros una fascinación única.

Inquisitivo y audaz, el joven potro gusta de curiosearlo todo. Desde el momento en que nace, parece ya desear explorar cuanto le rodea, vigilado en todo momento por su devota madre. El mundo entero está ahí fuera esperándolo.

Nacer en libertad lo obliga a ponerse en pie de forma inmediata sobre sus flacas y larguiruchas piernas —si bien es cierto que lo hace temblorosamente y no sin dificultad—, pues la manada ignora desde dónde acecha la próxima amenaza, el siguiente depredador. Un joven potrillo constituye sin duda un bocado fácil. A pesar de su domesticación, los caballos conservan esa premura inherente y, por ello, lo primero que hace una madre que acaba de dar a luz es empujar suavemente a su cría para que se ponga en pie.

No obstante, al cabo de una hora, el recién nacido potrillo se levantará tambaleándose peligrosamente, mientras su madre lo lame de la cabeza a los pies para limpiarlo y estimular su riego sanguíneo. Una vez sobre las cuatro patas, el siguiente paso es alimentarse; la primera toma de la leche materna, llamada calostro, es crucial, dado que contiene anticuerpos esenciales que la cría necesita para sobrevivir. En las seis horas posteriores al parto, el potrillo debería ingerir como mínimo un litro de calostro. No es muy frecuente que los caballos y los ponis paran más de una cría pero ocurre ocasionalmente; los criadores, sin embargo, suelen tratar de evitarlo ya que supone dos crías débiles en lugar de una fuerte. Las camadas de más de una cría rara vez sobreviven en libertad.

Las yeguas entran en celo cada 18-21 días y la época ideal para que nazcan los potrillos, domesticados o en libertad, es a principios de primavera; los pastos son entonces más abundantes, de lo cual se benefician al ser destetados.

Páginas anteriores izquierda: *Un potro de cuarto de milla sigue confiado a su madre.*

Páginas anteriores derecha: *Este simpático potro galés exhibe todo el encanto y belleza de la raza.*

Arriba: *Las yeguas se muestran extremadamente protectoras con sus crías.*

Arriba derecha: *En Gran Bretaña, el «cumpleaños» de los purasangre es el 1 de enero, aunque no sea esa su fecha de nacimiento.*

Derecha: *Este potro exmoor ya presenta el hocico pálido típico de la raza.*

El periodo de gestación de la yegua es de once meses y luego amamantará a su cría durante seis meses más, una ardua etapa de aprendizaje para el potrillo. Un potro salvaje se pondrá de pie al cabo de una hora de haber nacido y, poco después, será capaz de caminar y alimentarse. Tampoco tardará en corretear y llamar a su madre. Los caballos y los ponis son animales de naturaleza huidiza, por lo que el potrillo tiende a refugiarse junto a su madre en cuanto intuye un peligro.

Durante la primera hora de vida del potro tiene lugar un proceso llamado *imprinting*, por el cual se forja un vínculo inquebrantable e irreversible entre la madre y la cría, y es muy importante que nada perturbe dicho proceso. El lazo entre ambos es tan fuerte que, si son separados accidentalmente, serán capaces de salvar cualquier obstáculo (incluso arriesgando la vida) con tal de reunirse de nuevo.

En las primeras semanas de vida, el potro depende por completo de su madre, mientras va adquiriendo autonomía a medida que crece. Si forma parte de una manada, pronto asimilará la jerarquía y aprenderá dónde es bienvenido y dónde no. Cuando crece rodeado de caballos y ponis de todas las edades, incluyendo al semental de la manada, el potro tiene oportunidad de captar todos los aspectos de la conducta equina y, lo que es más importante, aprende la disciplina (al tiempo severa y justa) que le imponen los caballos mayores. Si sabe mantenerse en su lugar, será bien aceptado.

Arriba: *Llamativo potro trakehner con una gran estrella blanca y de brillante capa baya.*

Arriba derecha: *Una yegua castaña y un semental del mismo color siempre tendrán potros castaños, como este árabe.*

«Las crías de razas de caballos exclusivamente tordas siempre nacen marrones o negras y, a medida que crecen, su pelaje va cambiando de color.»

Izquierda: *El color de capa pardo de este potro es frecuente entre los ponis highland y puede variar del tono alazán pálido al pardo oscuro.*

Los potros nacen de todos los colores; el precioso potro pardo de la página anterior luce uno de los colores de capa más comunes de los ponis highland, aunque se dan todas las tonalidades de marrón rojizo, desde el alazán pálido hasta el pardo más oscuro. El pequeño árabe castaño de arriba guarda un gran parecido con su madre, mientras que el potro trakehner de la izquierda presenta un color bayo más brillante que el marrón más apagado de su madre.

Sin embargo, los colores de los potros recién nacidos pueden ser muy engañosos. Las crías de razas de caballos exclusivamente tordas siempre nacen marrones o negras y, a medida que crecen, su pelaje va cambiando de color. Por ello en los catálogos de venta se los describe como bayos/marrones/grises.

Desde el punto de vista genético, el gris es un color dominante, seguido del bayo, el marrón, el negro y el castaño. Este último es recesivo, por lo que un semental castaño cruzado con una yegua del mismo color siempre tendrá vástagos castaños. No obstante, también es perfectamente posible que una yegua y un semental bayos tengan un potrillo castaño.

Arriba izquierda: *Cuando crezca, este potro tendrá una capa de color castaño pálido.*

Izquierda: *Esta yegua pinta y su cría, ambos*

Arriba: *¿Acaso no es precioso el pelaje de este caballo miniatura? Los caballos con manchas en la capa están adquiriendo mucha popularidad en el Reino Unido, si bien el caballo pinto es mucho más apreciado en el continente americano. Esta pequeña belleza*

«La demanda de "animalitos en formato diminuto" es tal que el studbook *del poni shetland se halla dividido en dos secciones: estándar y miniatura.»*

Arriba izquierda: *Este pequeño miniatura castaño exhibe un porte vanidoso.*

Arriba derecha: *Las razas miniatura gozan de gran popularidad en EE. UU.; presentan todos los colores de capa posibles y suelen recibir el nombre de caballos miniatura, en lugar de ponis.*

El encantador potrillo castaño de la página anterior ha heredado el color de capa de su madre, si bien la zona pálida que tiene alrededor de los belfos le confiere un toque de personalidad propia. Las crías de arriba lucen una amplia gama de colores de capa y por lo menos uno de ellos parece presentar el pelaje pinto de su madre. Se trata de ponis miniatura criados en América, aunque los aficionados prefieren llamarlos *caballos* miniatura. De hecho, el término poni es de acuñación relativamente reciente; se cree que deriva de la palabra *poulenet*, un vocablo francés del siglo XVII que significa 'potro'.

El caballo miniatura más famoso de América quizá sea el falabella, originario de Argentina y que hoy en día es sumamente raro, el registro de raza no alcanza los 800 ejemplares.

El miniatura más célebre del Reino Unido es, sin duda, el poni de shetland; la demanda de «animalitos en formato diminuto» es tal que el *studbook* del poni shetland se halla dividido en dos secciones: estándar y miniatura (este último debe medir menos de 86 cm hasta la cruz).

Sin embargo, estas seductoras criaturas siguen siendo equinos y no meras mascotas; de hecho, pueden ser muy tercas y necesitan disciplina para evitar actitudes poco sociables.

Arriba: *Un exuberante potro de raza árabe hace gala de sus pasos elásticos y desenvueltos.*

Arriba izquierda: *A medida que adquiera confianza, el potrillo jugará algo más alejado de su madre pero regresará rápidamente a su lado al mínimo indicio de peligro.*

«A medida que el potro se desarrolla, se vuelve menos dependiente de su madre.»

Izquierda: *Esta yegua de sangre templada y su cría caminan de forma confiada.*

A medida que el potro se desarrolla, se vuelve menos dependiente de su madre y explora por su cuenta el mundo exterior. Si nace en el seno de una manada, pronto interactuará con otras crías. Juguetones y bulliciosos, los potrillos retozarán y galoparán alegremente, simulando peleas cargadas de relinchos y coces que pueden parecer bastante fieras. Aunque solo se trate de un juego, los potros empiezan así a hacerse valer y a buscar su lugar dentro de la manada. Por otro lado, ponen a prueba sus técnicas de supervivencia.

A pesar de que un caballo adulto es capaz de infligir un daño considerable a un potrillo, los mayores (incluso los sementales veteranos) toleran bastante bien la naturaleza irritante e inquisitiva de los más jóvenes. Suele bastar con un movimiento de orejas o una sacudida de cabeza por parte de un miembro adulto para alertar al potrillo de que empieza a ser exasperante. Cuando se aproxima a un miembro de la manada, el potro adopta en ocasiones una postura de sumisión que puede parecer exagerada: estira el cuello y levanta el hocico, inclina las orejas hacia los lados y hace chasquear la quijada. Es su modo de apaciguar al caballo adulto; en adelante, repetirá dicha conducta cuando se sienta atemorizado.

Durante sus primeros e idílicos días de vida, el potro se limita a comer, jugar y dormir. A los ocho o diez días empieza a mordisquear la hierba, si bien en cantidades pequeñas, y su madre monta guardia mientras él duerme, siempre vigilante a los peligros que puedan acechar a su pequeño.

«Durante sus primeros e idílicos días de vida, el potro se limita a comer, jugar y dormir.»

recha: *Un potrillo trakehner hace un alto ra descansar.*

Arriba: *Un potro connemara disfruta de un cálido día de primavera.*

Arriba izquierda: *Haciendo ya gala de la elevada andadura por la cual es famosa la raza, esta cría de cob galés despliega toda su vitalidad.*

Izquierda: *Un bello potro de pelaje pinto.*

Conforme crezca, el potro pasará menos tiempo durmiendo y más jugando, cada vez a mayor distancia de su madre. Mediante el juego, la cría desarrolla la coordinación y el equilibrio, y refuerza sus técnicas de supervivencia, aunque, cuando esté asustado o alarmado, correrá de forma instintiva al lado de su madre y a menudo mamará solo para tranquilizarse.

Si la yegua vuelve a quedarse encinta, irá destetando progresivamente al potro demostrándole una actitud cada vez más agresiva a medida que la gestación avance.

Arriba: *Este precioso ejemplar es un lusitano, una de las nobles razas ibéricas. Ya empieza a perder sus rasgos de potro y asoman los primeros signos de la belleza que adquirirá cuando madure.*

A medida que crecen, los caballos y los ponis desarrollan algunas partes de su anatomía más que otras. El pequeño chincoteague de la página siguiente tiene un cuello y cabeza comparativamente grandes, mientras que el adorable y lanudo potro clydesdale que figura a su derecha casi parece no tener cuello; las cernejas de sus macizas patas son características de la raza.

En libertad, el potrillo puede seguir mamando hasta alcanzar la pubertad, lo cual sucede entre los nueve y doce meses, siempre y cuando la madre no vuelva a dar a luz. En los caballos domesticados, el destete se suele producir entre los cinco y los seis meses.

Arriba: *La cabeza de este pequeño chincoteague parece desproporcionada en comparación con sus patas larguiruchas y su corto cuerpo.*

Arriba derecha: *Este clydesdale ya muestra una cerneja de pelo fino en la parte inferior de las extremidades.*

«Conforme crezca, el potro pasará menos tiempo durmiendo y más jugando, cada vez a mayor distancia de su madre.»

Derecha: *A medida que vaya creciendo, este elegante potro adquirirá confianza para alejarse cada vez más de su madre.*

Arriba: *Estos potros no parecen descontentos por estar apartados de sus madres.*

Arriba derecha: *La interacción con sus congéneres es vital para su desarrollo.*

Arriba extremo derecha: *En libertad la madre puede amamantar a la cría hasta los doce meses, si no vuelve a estar preñada.*

Páginas anteriores: *Los potrillos no tardan en hacer buenas migas entre ellos.*

Existe la opinión de que destetar un potro demasiado pronto —a menos que haya una razón de peso para ello, como que la madre no tenga suficiente leche— puede causarle algún trastorno psicológico. Hoy se prefieren los métodos de destete más graduales y los criadores coinciden en que no hay por qué destetar una cría a los seis meses. La mayoría de las madres pueden dar de mamar hasta poco antes de volver a dar a luz.

Hubo una época en que se defendía la teoría de que la mejor manera de destetar un potro era separando madre y cría por completo, ya que no tardaban en «superarlo». Sin embargo, hoy la mayoría de criadores estarían de acuerdo en que este proceso es antinatural y angustioso, y puede tener consecuencias negativas más adelante. De hecho, las repercusiones

podrían ser más inmediatas, pues la cría podría resultar herida al tratar desesperadamente de huir en busca de su madre.

En muchas cuadras se emplea un método menos cruel consistente en reunir a un grupo de yeguas con crías de edades similares para que los potrillos fraternicen. Posteriormente, una de las madres es apartada del grupo cuando se devuelven los animales a la dehesa pero el potrillo pronto supera su angustia gracias a la compañía de los demás potros y madres. Al cabo de un par de días se repite el proceso con otra de las yeguas y así hasta que todas las madres han sido apartadas de sus pequeños. Transcurrido un año, los caballos ya son capaces de alimentarse por sí mismos, por lo que potros y potrancas suelen ser separados de sus madres a esa edad.

Aunque el proceso de *imprinting* del potro con su madre no debe ser interrumpido, el ser humano puede hacer uso de ese mismo instinto para acostumbrar al animal a ser manejado. Si un potrillo aprende que acariciarle el vientre o las orejas y frotarle las patas son experiencias agradables, más adelante resultará mucho más sencillo tratar con él.

Las caricias en las patas, por ejemplo, lo ayudarán a aceptar mejor al herrador cuando llegue el momento, y, si el potro tolera ser tocado en general, el veterinario no tendrá problemas cuando haya de suministrarle una inyección. Si se habitúa a que le toquen la boca, aceptará de mejor grado el bocado de la brida cuando vaya a ser montado. No obstante, los potrillos se cansan pronto, por lo que no hay que atosigarlos.

Arriba izquierda y derecha: *Al igual que los humanos, los caballos adolescentes requieren estímulos, entretenimientos, educación y disciplina. En el caso de los equinos domesticados, el proceso de educación debe comenzar en una etapa muy anterior a la pubertad.*

Derecha: *Este joven appaloosa luce una capa con bellas motas de color castaño oscuro.*

Izquierda: *Los potros de cuarto de milla son de naturaleza curiosa y confiada.*

Gracias sin duda a su talante indulgente y dócil, el caballo permite que cambiemos su modo de vida por completo y aún muestra predisposición para someterse a nuestros deseos. Lo separamos de su madre antes de lo que la naturaleza lo haría; lo apartamos de su vasto entorno natural al aire libre para encerrarlo en un establo, y le privamos de comer pasto para alimentarlo con avena y preparados de comida que, de otro modo, jamás ingeriría. Y todavía desea complacernos.

Al domesticar a este fabuloso animal y adaptarlo a nuestras necesidades, lo estamos continuamente moldeando para que se ajuste a nuestro ideal particular. Los caballos purasangre se crían para que maduren antes de lo normal y están preparados para competir a los dos años de edad. Y si se continúan desarrollando técnicas cada vez más sofisticadas, tales como la inseminación artificial por medio de semen fresco o congelado, el caballo actual podría ser difícilmente reconocible dentro de 2.000 años más.

El trasplante de embriones, por ejemplo, es una técnica cada vez más empleada en la cría de caballos deportivos. Consiste en fertilizar un óvulo de una hembra de competición e implantarlo en una yegua distinta que gestará y criará al potro mientras su madre biológica continúa compitiendo. En 2003 aparecieron datos sobre el primer caballo clonado que, sin duda, hacen volar nuestra imaginación: ¿se imaginan 20 Desert Orchids o Miltons? o, si se disputase una carrera entre 15 Shergars, ¿cuál de ellos ganaría? A ojos de los puristas, tales conjeturas ponen la piel de gallina.

Por el momento, sigamos criando equinos maravillosos, bellos y con talento, y dejemos que ellos recompensen nuestros esfuerzos. Pero esperemos también que jamás desaparezcan las manadas de caballos salvajes y que sigan evolucionando y prosperando tal y como la naturaleza tenga previsto.

«Gracias sin duda a su talante indulgente y dócil, el caballo permite que cambiemos su modo de vida por completo y aún muestra predisposición para someterse a nuestros deseos.»

Derecha: *Potros árabes hacen alarde de su marcha en los Establos Reales de Abu Dhabi.*

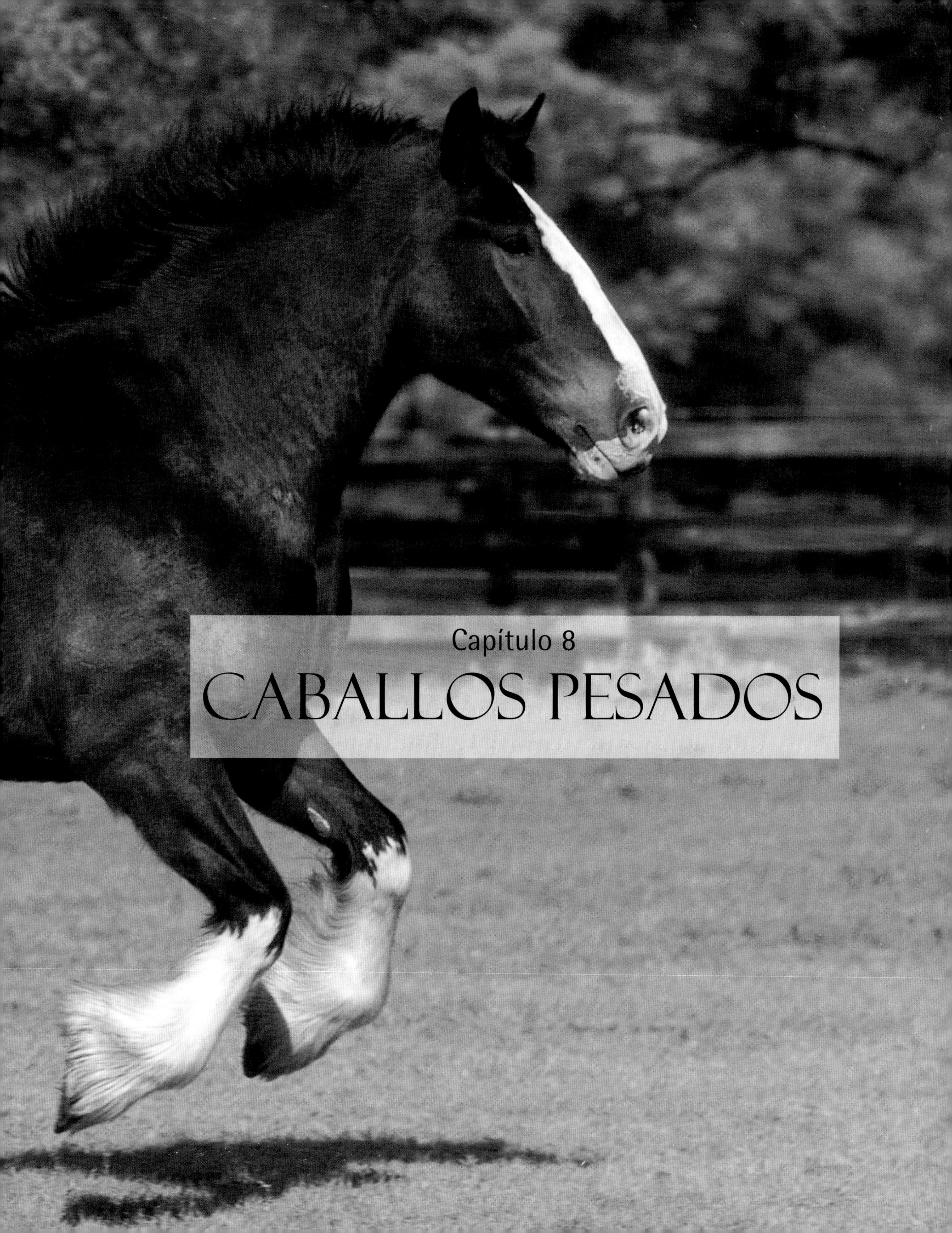

Capítulo 8

CABALLOS PESADOS

CABALLOS PESADOS

«Sirve sin servilismo, ha luchado sin odio;
no hay nada tan poderoso, nada menos violento...»
Los versos de este poema podrían haber sido dedicados
especialmente al fiel caballo pesado.

El bello poema de Ronald Duncan «The Horse» describe perfectamente estos nobles corceles pero no hay que olvidar que las razas de caballos pesados mundiales fueron desarrolladas, en un principio, como caballos de guerra. Tan británico como el bulldog, el caballo pesado más célebre de Inglaterra, el shire, es espectacular; su alzada puede ser de 1,8 m o incluso más. Mezcla de espíritu y calidad, el shire desciende del caballo de batalla medieval, conocido como The Great Horse, y rebautizado English Black por Oliver Cromwell.

En el siglo XIV, se importaron un centenar de sementales de Lombardía para cruzarlos con yeguas inglesas autóctonas y criar así un caballo más fuerte y pesado. Se trataba de auténticos tanques acorazados, desarrollados inicialmente para ser lo bastante robustos como para transportar a un caballero medieval con su toda su armadura y sus pesadas armas, pero con la agilidad suficiente para poder librar batallas. El caballero lo montaba justo antes de entablar combate y era el escudero quien llevaba al animal desde el lado derecho por la brida.

A pesar de ser robustos, aquellos caballos no eran tan grandes como el shire actual y, a medida que crecía la demanda de un animal de tiro más corpulento y macizo para labrar el campo, el English Black fue mejorado aún más cruzándolo con el caballo flamenco o de Flandes, originario de los Países Bajos y, posteriormente, con el frisón. Desarrollado en la región central de Inglaterra por los discípulos de Robert Bakewell (1725–1795), la raza se dio a conocer como Bakewell Black. Estos caballos fueron entonces cruzados con purasangre para variar su tamaño y, conforme aparecieron distintos colores de capa, el nombre de *black* dejó de ser apropiado y en 1878 la raza pasó a llamarse caballo de carro inglés.

El semental fundador del shire moderno es el caballo Packington Blind, el cual vivió en Ashby-de-la-Zouche en Leicestershire de 1755 a 1770 y que aparece en el primer *studbook* de la English Cart Horse Society publicado en 1878. La organización cambió su nombre por el de Shire Horse Society en 1884, que reflejaba los orígenes de la raza en los condados rurales de la región central de Inglaterra.

Un control diligente eliminó los problemas intestinales y de fortaleza que al principio presentaba la raza y la demanda del caballo se disparó, tanto en Gran Bretaña como en Estados Unidos, donde se apresuraron a importar shires y donde se fundó la American Shire Horse Association en 1885. La fortuna del shire (y, por consiguiente, su valor) creció y su futuro parecía estar garantizado. Durante la Gran Depresión, se apodaba a los buenos ejemplares de shire «los pagadores del alquiler». Sin embargo, con la creciente mecanización, el shire casi se extinguió tras la Segunda Guerra Mundial; se calcula que entre 1947 y 1948 unos 100.000 fueron aniquilados y el número anual de potros registrados se redujo a 80.

Izquierda: *Conocido originalmente como English Black, los caballos shire toman su nombre de los condados rurales de la región central de Inglaterra donde se crían.*

Páginas anteriores: *El shire, la raza de caballo pesado británica más famosa, aún se emplea para arrastrar las narrias en las fábricas de cerveza. Posee una cabeza noble.*

Arriba: *Una yegua shire con su cría retratados en el New England Shire Center de Florida, donde la raza goza de gran popularidad.*

Gracias a los entregados criadores, el shire se salvó de la extinción y ha resurgido con fuerza durante los últimos 50 años. La raza es espectacular; puede presentar una alzada de 1,8 m o incluso más, y combina una magnífica esencia con una innegable calidad —el cruce entre shire y purasangre a menudo da como resultado buenos caballos de salto de exhibición—. Su noble cabeza, con su testuz convexa, es larga y enjuta, y sus grandes y amables ojos irradian inteligencia.

El shire posee un cuello largo para ser un caballo de tiro, así como un pecho amplio y poderoso, una cinchera profunda y un lomo corto, con cuartos traseros fornidos. Las extremidades, robustas y bien definidas, son muy huesudas y presentan abundantes cernejas (mechones de pelo largo y sedoso detrás de los menudillos). Todavía existen numerosos shires negros, vestigio quizá de sus orígenes, si bien las capas marrones, bayas y tordas con manchas blancas son también comunes. La sociedad de raza no permite el castaño o ruano en los sementales, aunque el último sí se acepta en las yeguas.

Izquierda arriba y abajo: *A pesar de su inmensa fuerza y poder, el shire atesora una naturaleza amable que le ha valido el título de «gigante gentil».*

El shire aún se emplea en algunas zonas del Reino Unido para tareas agrícolas y es muy popular en las exhibiciones rurales; la raza cuenta con su propia exhibición nacional que se celebra cada primavera en Cambridgeshire, Inglaterra.

Arriba: *Este elegante semental presenta unas bellas proporciones y la típica cabeza noble de la raza.*

Izquierda: *Esta yegua shire exhibe las abundantes y sedosas cernejas de la raza.*

«Su noble cabeza, con su testuz convexa, es larga y enjuta, y sus grandes y amables ojos irradian inteligencia.»

Páginas anteriores e izquierda: *El clydesdale demuestra una clara influencia del shire, con el que se cruzó en el siglo XIX, si bien posee una cabeza más fina y ligera de perfil rectilíneo, a diferencia de la testuz convexa del shire.*

«Del clydesdale se decía que poseía un estilo exuberante, un porte llamativo y fogoso, y una andadura elevada.»

El clydesdale, pariente cercano del gentil gigante shire, es una versión a escala reducida de este último. Originario de la región escocesa de Clyde Valley, el clydesdale —o caballo de Clydesman, como era conocido antaño— se desarrolló cruzando fuertes razas autóctonas con caballos flamencos y, en el siglo XIX, recibió también la influencia del shire destinada a perfeccionar la raza.

Derecha: *El patilargo clydesdale ejecuta unos pasos muy activos y resulta particularmente elegante entre las razas equinas de tiro.*

Arriba: *Los colores de clydesdale más frecuentes son el bayo, el marrón, el gris y el negro, aunque en ocasiones también se ven ruanos y píos, como este.*

Arriba izquierda: *El clydesdale es un caballo popular en EE. UU.; esta imagen pertenece a unos jóvenes ejemplares de Florida.*

Izquierda: *Las manchas blancas en cara, patas y vientre son frecuentes en el clydesdale.*

Páginas siguientes: *Yegua clydesdale con su cría; en las patas del potrillo ya se intuye una fina cerneja.*

La sangre de shire fue introducida a través de yeguas de dicha raza por dos criadores: Lawrence Drew y David Liddell, quienes tenían el convencimiento de que el clydesdale y el shire no eran sino dos ramas de la misma raza.

De hecho, ambas son muy parecidas pero, aunque el clydesdale puede alcanzar la misma alzada que el shire, se trata de una raza más ligera y elegante, de patas más largas, lo cual resulta infrecuente en un caballo de tiro. Asimismo, presenta una cabeza más fina y ligera, de perfil más recto, y un cuello más largo. La alzada media es de 1,6 m y es célebre por sus extremidades y sus cascos duros y resistentes.

En el primer *studbook* de la Clydesdale Horse Society de 1878, se decía que poseía «un estilo exuberante, un porte llamativo y fogoso, y una andadura elevada que lo convierten en un animal inusualmente elegante entre los caballos de tiro».

La sociedad de la raza se fundó en 1877, con un millar de ejemplares inscritos en su primer *studbook*. Un año después apareció la sociedad americana, donde la raza es aún popular; el clydesdale se ganó también el apelativo de «raza que construyó Australia». Por desgracia, hoy es otra de las razas británicas considerada «en peligro» por el Rare Breeds Survival Trust.

Izquierda: *Un potro suffolk punch; todos los ejemplares de la raza se remontan a un semental: el Horse Of Ufford de Thomas Crisp.*

Abajo: *Una yegua suffolk punch con su fuerte y autónomo potrillo.*

Abajo derecha: *Todos los ejemplares de suffolk punch son de capa castaña y las manchas blancas son poco frecuentes.*

El Oxford English Dictionary define el término *punch* como 'caballo de tiro macizo de patas cortas', una descripción que encaja a la perfección con el caballo pesado de East Anglia. La raza desciende de un semental, el Horse Of Ufford de Thomas Crisp, nacido en 1768. El suffolk punch posee el club de raza y el pedigrí registrado más antiguos de todos los caballos pesados.

Los suffolk punch son siempre castaños y no tienen cernejas en las piernas, lo cual los hace adecuados para trabajar en las cenagosas tierras de arcilla de East Anglia, al este de Inglaterra. Con una alzada aproximada de 1,65 m, se trata de un caballo compacto y robusto, capaz de sobrevivir con escaso alimento. La cabeza, ancha y noble, se asienta sobre un cuello grueso y recio; el cuerpo es también fornido y posee unos poderosos cuartos traseros. Lamentablemente, la situación de este robusto y atractivo animal es «crítica» según el Rare Breed Survival Trust.

«El suffolk punch posee el pedigrí registrado más antiguo de todos los caballos pesados.»

Bélgica se siente orgullosa de su raza de caballo pesado, el brabante, o caballo de tiro pesado belga. Conocido en otra época como caballo de Flandes, ha desempeñado un papel fundamental en el desarrollo de las razas británicas (el shire, el clydesdale y el suffolk punch) y fue también decisivo para el caballo de tiro irlandés (capítulo 4) que, gracias al bravante, adquirió mayor tamaño.

El brabante —y, por asociación, el caballo de tiro de las Ardenas, con el que guarda una estrecha relación— fue loado por Julio César, quien lo consideraba un caballo de trabajo fuerte y voluntarioso. A través de los años, los belgas supieron resistirse a la tentación de producir equinos más ligeros para la caballería y preservaron celosamente su raza de tiro, que resultaba ideal como caballo de labranza.

Hacia finales del siglo XIX, se habían desarrollado tres subestirpes de la raza, basadas en líneas sanguíneas diferenciadas. Se trataba de Orange I, el cual fundaría el gran caballo de la línea dendre; Bayard, fundador del caballo gris de la línea nivelles, cuya progenie tendía a ser de capa ruana rojiza y alazana, y Jean I, el cual fundó la línea del caballo colosal de Mehaigne, célebre por poseer una extraordinaria fuerza en las zonas dorsal y lumbar.

El pelaje ruano rojizo es aún frecuente y constituye una reminiscencia de los orígenes primitivos de la raza, al igual que el castaño y el alazán, si bien el bayo, el pardo y el tordo también son posibles.

Excepcionalmente fuerte y resistente, el brabante es compacto y de lomo corto, con piernas cortas y robustas que presentan cernejas. La cabeza es bastante fina y pequeña para tratarse de una raza de caballo pesado, bien que guarda una correcta proporción. Su alzada media es de 1,7 m y, por encima de todo, es una criatura maciza. Su andadura dista mucho de ser elegante, pero resulta ideal para trabajar el campo; es famoso por su carácter dócil y voluntarioso.

Poco conocido en Europa, el brabante cuenta con seguidores en América, donde la raza ha sido refinada y estilizada.

Izquierda: *Para tratarse de un caballo de tiro, el brabante posee una cabeza comparativamente pequeña y fina.*

Derecha: *El brabante (o caballo de tiro pesado belga) es un animal macizo y potente de carácter dócil y voluntarioso.*

Izquierda: *Una yegua brabante con su cría, retratadas en su Bélgica natal, donde se desarrolló la raza para trabajar sobre terrenos altamente arcillosos.*

«El brabante fue loado por Julio César, quien lo consideraba un caballo de trabajo fuerte y voluntarioso.»

Izquierda y arriba: *Esta yegua es un fabuloso ejemplar de brabante, que luce la capa alazana y la cola y crines exuberantes propias de la raza. En EE. UU. el brabante goza de gran popularidad; esta imagen pertenece a una cuadra de Texas.*

El equino pesado de Holanda, el caballo de tiro holandés, es una raza relativamente nueva, ya que se desarrolló en 1918 a partir del brabante, la raza de tiro belga. Se trata de un caballo macizo y sensacionalmente fuerte desarrollado como caballo de labranza, cuya fortaleza resulta esencial para trabajar en los terrenos arenosos y arcillosos de los Países Bajos, los cuales agotarían a caballos menos resistentes.

Es una criatura inteligente de naturaleza mansa y trabajadora. Con una alzada de unos 1,7 m, es un animal sorprendentemente activo para su tamaño y, dado que su vida laboral es larga y se muestra afanoso, resulta un equino económico de mantener. Su aspecto es similar al del brabante y al del caballo belga de las Ardenas, los cuales se emplearon en los cruces que contribuyeron al establecimiento de la raza. A pesar de su constitución maciza, la cabeza no debe ser muy gruesa y su mirada amable revela su carácter dócil.

Posee un cuello corto, sólidas espaldas y un lomo ancho y fuerte. La cola es de inserción baja en unos cuartos musculosos y las piernas, cortas y robustas, presentan pobladas cernejas negras. La capa suele ser castaña, baya, torda o ruana.

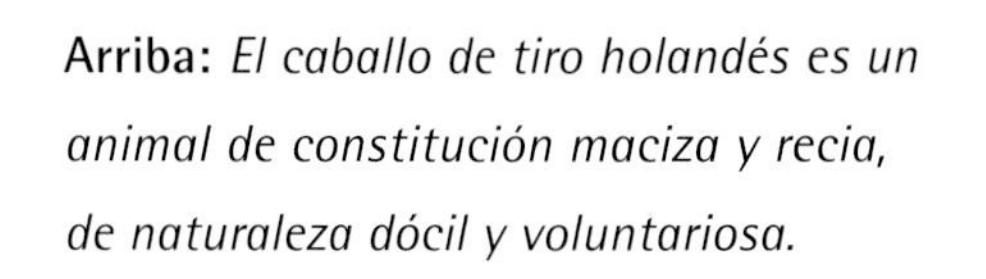

Arriba: *El caballo de tiro holandés es un animal de constitución maciza y recia, de naturaleza dócil y voluntariosa.*

Arriba derecha: *Un rasgo característico del caballo de tiro holandés son sus pobladas cernejas negras.*

Derecha: *Este potro ya presenta el cuello corto y fornido típico de la raza.*

Arriba izquierda y derecha: *El percherón exhibe una andadura elegante y distintiva, caracterizada por pasos extendidos, bajos y desenvueltos.*

Por extraño que pueda parecer en una raza equina de tiro, la sangre de caballo árabe ha sido crucial en el desarrollo del percherón. Casi con certeza, los caballos ya existían en la región de Perche de Normandía —de donde le viene el nombre a la raza— desde la Era Glacial y se cree que la sangre oriental se introdujo tras la Primera Cruzada a finales del siglo XI.

La famosa cuadra Le Pin, principal criadero de percherones, importó en 1760 sementales árabes para realizar cruces y dos de ellos, Godolphin y Gallipoly, demostraron ser muy influyentes. Debido a la influencia árabe, el percherón es tal vez la más elegante de las razas de caballos pesados y la sangre oriental se hace especialmente patente en la cabeza, que es fina y ligeramente cóncava. Normalmente, el percherón es tordo (un color árabe) y, en ocasiones, negro; su característica marcha es extendida y poco elevada.

Izquierda: *Los percherones gozan de fama mundial y has sido exportados a Canadá, América, Australia, Sudáfrica y Japón.*

Se trata de una de las mayores razas de caballos pesados; de hecho, el caballo más grande del mundo, Dr. Le Gear, era un percherón y medía nada menos que 2,1 m de alzada.

«Debido a la influencia árabe, el percherón es tal vez la más elegante de las razas de caballos pesados.»

Izquierda: *El percherón suele ser tordo (un color árabe) o bien negro.*

Derecha: *La influencia árabe se aprecia en la cabeza fina y elegante del percherón.*

Glosario

aire en el lenguaje de alta escuela, cualquier movimiento, ejercicio, acto, paso, gesto o demostración que efectúa bajo mandato el caballo.

alta escuela arte clásico de equitación (*véase* aire).

asilvestrado animal que en algún momento ha sido domesticado pero que ha sido puesto en libertad o bien se ha escapado (a veces se emplea como sinónimo de *salvaje*).

belfo cada uno de los dos labios del caballo.

capa piel del caballo o su color.

cerneja mechón de pelo largo y sedoso que tienen las caballerías detrás del menudillo, que presentan sobre todo los caballos pesados y algunas razas de ponis.

copete mechón de crin que cae al caballo sobre la frente.

cruce utilización de sangre de una raza distinta para perfeccionar o desarrollar otra raza.

cruz parte más alta del lomo, donde se cruzan los huesos de las extremidades anteriores con el espinazo.

cubrir reunirse macho y hembra para la fecundación.

de sangre caliente caballo de raza árabe o purasangre.

de sangre fría nombre genérico que designa a los caballos pesados o de tiro.

de sangre templada caballos resultado del cruce entre equinos de sangre caliente (como el árabe) y de sangre fría (como las razas de tiro).

estrella mancha blanca generalmente de forma irregular que se encuentra sobre la frente del caballo.

inserción elevada de la cola la cola está implantada en la parte alta de los cuartos traseros.

ollar cada uno de los dos orificios de la nariz de las caballerías.

paso movimiento natural del caballo en cuatro tiempos.

pedigrí genealogía de un animal de raza.

pío caballo de pelo blanco en su fondo, con manchas más o menos extensas de otro color.

potranca yegua que no pasa de tres años de edad.

potrillo potro que no tiene más de tres años.

potro caballo no castrado que no supera los cuatro años.

raid disciplina ecuestre consistente en carreras largas de campo a través, según una ruta marcada.

raya de mula o dorsal línea oscura que recorre la espina dorsal desde la cruz hasta la grupa, más frecuente en las capas pardas.

raza grupo equino específico con unas características determinadas.

semental macho no castrado mayor de cuatro años.

studbook registro controlado por la sociedad de una raza para recoger los pedigríes de pura raza.

testuz en algunos animales, como el caballo, frente.

yegua caballo hembra de más de cuatro años.